Pour Marj[...]
ra suite [...]
des :

4 sœurs
En direct du collège » !

Et avec les 4 ?, cette
année scolaire sera
pleine de surprises !

A très bientôt pour
d'autres aventures avec
les 4 sœurs et bonne
lecture ! [signature]

Meymac, le 17 / 06 / 17

SOPHIE RIGAL-GOULARD

Illustrations de Diglee

RAGEOT

Cet ouvrage a été imprimé sur un papier
issu de forêts gérées durablement,
de sources contrôlées.

Couverture : Diglee

ISBN : 978-2-7002-5458-7
ISSN : 1951-5758

Les larmes de la rentrée

— Je vais me coucher sur les marches du collège et faire la grève de la faim en signe de protestation, déclare Justine en essuyant une larme qui coule sur sa joue. Pas dans l'immédiat par contre, parce que j'ai un cookie chocolat blanc qui m'attend à la maison.

— Et moi, je vais alerter le monde entier. Il faut que de Rio à New York les gens sachent que, dans notre collège, on traite les élèves comme de simples dossiers sans tenir compte d'une amitié qui a démarré à la maternelle !

Je secoue la tête en regardant ma meilleure amie. L'instant d'après, je la serre à nouveau contre moi.

Voilà déjà trois heures que nous sommes séparées.

Il était 7 h 54, ce matin, lorsqu'on a appris la TERRIBLE nouvelle en regardant les listes affichées devant le portail du collège.

Cette année, nous ne sommes pas dans la même classe.

Justine ? 5e4.

Laure ? 5e3.

Comment survivre après une telle injustice ?

Le collège a tout de suite pris la forme d'une immonde bête gluante et maléfique qui a englouti ma bonne humeur et mon insouciance.

– Lauauaure !

Je ne me retourne pas. Je sais qui est en train de hurler mon prénom. Ma mère vient de garer sa voiture devant le collège et mes deux petites sœurs, qui ont aussi fait leur rentrée à l'école, agitent leurs bras à la vitre. On dirait deux pom-pom girls qui préparent leur spectacle.

Justine me serre encore une fois dans ses bras.

– D'ici demain, trouvons un moyen de résister ! me chuchote-t-elle avant de s'éloigner d'un pas lourd.

J'ai à peu près la même démarche pour rejoindre la voiture de ma mère...

– Eh ben nous, on n'a pas eu classe, euh! me crie Luna enthousiaste dès que j'arrive à sa portée.

– Tu sais que notre école est fermée? me lance Lisa surexcitée.

– Si tu as une paire de boules Quies, tu peux les mettre directement, commente Lou, ma sœur aînée, tandis que je m'assieds derrière elle. Elles me saoulent tellement que je regrette d'avoir demandé à maman de venir me chercher au lycée.

– La rentrée est reportée pour tes petites sœurs, me précise ma mère. Comme il y a deux fermetures de classe, les parents ont bloqué l'école élémentaire et la maternelle.

– Elles ont de la chance! je déclare. Moi non plus, je ne veux pas retourner au collège. On est séparées, Justine et moi, et j'ai l'intention de boycotter les cours.

Ma mère me regarde, l'air désolée, avant de démarrer.

– Ne t'en fais pas, ma Laure, tu verras ta copine à chaque récré.

– Je t'ai déjà dit qu'on parle d'inter-cours au collège, je bougonne. On ne dit plus récré.

– C'est trop bien la récré. C'est ce que je préfère quand l'école est ouverte. Tu pourras jouer à trap-trap avec Justine. Moi j'y joue tout le temps avec Amounia et en plus…

Je n'écoute pas la suite. Luna s'apprête à me raconter sa vie à la maternelle et ça peut durer un certain temps.

– Des fois, quand on voit moins quelqu'un, on l'apprécie encore plus, me chuchote Lou.

Ma sœur aînée en sait quelque chose puisqu'elle s'est séparée de Maxime, son petit copain actuel, un certain nombre de fois. Et après chaque séparation, ils se retrouvent… éperdument amoureux.

– Si tu n'es pas dans la classe de Justine, tu peux lui laisser des mots cachés dans les salles de cours quand elle passe après toi.

Les yeux de Lisa en brillent d'avance ! Elle se voit déjà à ma place en train de rédiger des messages secrets.

J'essaie de sourire à ma « bande de sœurs » qui tente de me consoler. Dans la famille Juin, on est quatre filles, ce qui nous garantit de n'être JAMAIS SEULES face à un problème.

Lou, ma sœur aînée, est en première et elle a une certaine « expérience de la vie » (je la cite). Elle est toujours là pour dispenser ses conseils… qu'on a intérêt à suivre puisque ce sont les siens et qu'ils sont donc géniaux (je la cite encore une fois) !

Lisa, ma sœur cadette, a neuf ans. Elle déborde de projets en tout genre. Et quand elle en manque, elle a toujours un livre à portée de main pour nous faire part des idées… des autres.

Luna, notre petite dernière, est encore à la maternelle et elle a un monde intérieur très riche. Lorsqu'on lui parle, on peut tomber au hasard sur princesse Luna ou Petit Poney Luna ou encore Luna la maîtresse ou Luna l'exploratrice... Il faut savoir s'adapter.

Moi, Laure, je suis la seconde L. Je rentre au collège pour la deuxième année et je le regrette déjà. De nature, je suis plutôt enthousiaste mais, avec cette rentrée, je broie du noir.

À la maison, je me jette sur mon portable. Mes parents refusent que je l'emporte au collège. J'ai déjà reçu cinq SMS de Justine.

C trop horrible

J'arrive pas à y croire

Je v pas pouvoir avaler mon cookie choc blanc

Je viens de le donner à mon frère

Tjs vivante ou t'as sauté de la voiture en route ?

Je me dépêche de lui répondre et on se met à imaginer des façons de réagir face à l'HORRIBLE tragédie qui s'est abattue sur nos têtes. J'en suis au plan 3 « arrêter nos études et devenir des blogueuses super connues » quand j'entends mon père arriver.

Les jours qu'il juge « importants », il tient à déjeuner à la maison.

Les Steph au carré, nos parents, ainsi surnommés puisqu'ils s'appellent Stéphane et Stéphanie, aiment justement que nous partagions en famille notre « enthousiasme post-rentrée ».

Tu parles d'un enthousiasme en ce qui me concerne ! C'est ce que j'explique à Stéphane Juin qui m'interroge :

– Comme je l'ai déjà dit, je suis en 5e3 avec les plus gros lourdauds de la terre et sans Justine. Voilà. C'est la rentrée la plus pourrie de ma vie !

– N'exagérons pas ! commente mon père qui veut toujours qu'on soit positives. Tu as d'autres amies sur terre que Justine quand même ?

– C'est LA SEULE qui compte VRAIMENT! je lâche, boudeuse.

– Un seul être vous manque, et tout est dépeuplé, commente Lou. Si Lamartine le dit, c'est forcément vrai.

– Tu es déjà prête pour le bac français! s'exclame ma mère, toute contente.

– En attendant le bac, je suis dans une classe plutôt sympa moi, je ne me plains pas, ajoute Lou. En plus, on a comparé nos emplois du temps avec Maxime et je sors deux fois à la même heure que lui dans la semaine.

J'ai l'impression de voir des cœurs clignoter sur les pupilles de ma sœur et je l'envie... Elle a trop de chance.

– Et moi papa? Tu veux savoir? s'exclame Luna qui piaffe d'impatience à l'idée de raconter sa matinée. Comme les gens marchaient avec des pancartes dans la rue, mon école est fermée et la maîtresse, elle n'était pas là!

– Oui et en plus, ça va durer LONGTEMPS! clame Lisa en brandissant sa fourchette, enthousiaste.

– Sûrement TOUTE L'ANNÉE! annonce Luna très sérieusement.

– Et tu feras comment si tu ne revois plus Pablo, Jules et Lino, tes trois amoureux? lui demande mon père en souriant.

La petite L prend un air super concentré avant de déclarer:

– Ben... Peut-être que l'école va rouvrir bientôt.

– Bien sûr! s'écrie maman en riant. C'est juste l'affaire d'une journée cette manifestation. Ne pensez pas que vous allez trouver la grille fermée tous les matins. La rentrée est reportée de vingt-quatre heures, voilà tout.

– Si ça pouvait être comme ça dans mon collège! je lance rêveuse. La porte close pendant des jours et des jours...

On se met *toutes* à parler ensemble. On a envie d'imaginer notre vie sans cours, sans devoirs et sans profs. Mon père, fidèle à lui-même, se bouche les oreilles pour montrer qu'on fait trop de bruit.

Il finit par lever la main pour qu'on le laisse s'exprimer. C'est souvent comme ça à la maison. Steph Juin affirme même qu'il n'y a que dans son cabinet de médecin qu'il parle librement. Chez lui, « la parole est aux quatre L » !

— Les filles, laissez-moi vous dire qu'un jour, vous regretterez ces jours d'école, de collège ou de lycée. Vous aurez la nostalgie de ces rentrées où on sort sa trousse neuve et son joli cartable à roulettes.

Lou et moi, on hausse les épaules en chœur.

– Eh ben moi, quand je serai au CP, j'achèterai le cartable rose à roulettes de princesse Alexandra. Je l'ai vu avec maman et j'ai demandé à la vendeuse qu'elle me le garde pour l'année prochaine.

– Prépare-toi à pleurer pour ta rentrée au CP alors ! commente Lisa. Ton cartable sera déjà vendu d'ici là, c'est obligé !

Je n'écoute plus les commentaires qui s'échangent autour de la table.

Moi, c'est cette rentrée que j'ai arrosée de mes larmes pour la première fois.

On fait comment quand on n'a plus envie d'aller au collège ?

Un mystérieux nouveau

Ce matin, à 7 h 52, j'étais encore en pyjama. Pour être à 8 heures en cours de maths, c'était un peu juste…

– Les fiiilles ! Je n'ai pas entendu le réveil ! hurlait maman en galopant partout dans l'appartement. Papa est parti très tôt ce matin et je me suis rendormie. J'appelle l'école, j'appelle le collège, j'appelle le lycée, j'appelle ma clinique…

– Appelle plutôt une ambulance, vu l'état dans lequel tu es, ai-je murmuré encore endormie.

Elle a continué à courir en attrapant au passage une Luna qui sortait du lit et en expédiant à la salle de bains une Lisa coiffée à la Dragon Ball Z. Lou a passé la tête hors de sa chambre en bâillant.

– C'est quoi ce bazar ? On est semaine B et je commence à 10 heures, moi ! Vous ne pourriez pas faire un peu moins de bruit ?

Pendant ce temps, je réalisais, ravie, que j'étais en train de louper le contrôle sur les angles ! (Franchement, coller un contrôle à des élèves une semaine après la rentrée, c'est limite sadique.)

Je suis arrivée à 8 h 39 en cours de maths... pour apprendre que le contrôle avait été reporté à la semaine prochaine.

– Tu as vu ta tête ? Tu as pris une porte en pleine face ou quoi ?

Je viens de retrouver Justine dans la cour. Depuis la rentrée, à chaque inter-cours, on se donne rendez-vous au même endroit, elle et moi. Je jette un

coup d'œil dans l'une des vitres du collège. Elle me renvoie une image de cau-
chemar. On dirait que je viens de sortir
d'une machine à laver, cycle long!

– Tu sais que je suis assise à côté de
Kim à chaque cours ou presque. Elle
est super sympa cette fille! m'explique
Justine.

– C'est qui déjà? je demande alors que
je sais pertinemment de qui il s'agit.

– Je t'en ai parlé hier. C'est une grande
black super jolie. Tu l'as forcément déjà
vue. On est assises l'une à côté de l'autre
dans la plupart des cours et elle va s'ins-
crire à la capoeira avec moi!

– Super.

Je n'ajoute pas un mot. J'ai du mal à
avaler ma salive, comme si une petite
balle de ping-pong avait décidé de s'installer dans ma gorge.

– Et toi? Il y a des élèves sympas dans
ta cinquième? s'inquiète Justine.

Je fais une moue.

– Bof… Pour l'instant, je ne sais pas trop. Cette semaine, un nouveau est arrivé. Il a l'air plutôt bizarre. Le genre qui ne te regarde jamais franchement. Il est blond, costaud, avec une mèche qui lui tombe dans les yeux et un drôle de styl…

Je n'ai pas le temps de finir ma phrase.

Le nouveau est justement en face de nous. Johan et Vernon sont en train de le bousculer. C'est le duo de choc de la 5e2. Je les connais depuis le CE2 et grandir ne les arrange absolument pas.

– C'est lui le nouveau, je murmure en regardant la scène. Il s'appelle Ulysse.

Il tente de repousser les deux parasites mais ceux-ci reviennent à la charge, un peu comme des guêpes excitées par le sucre. Quelques témoins se mettent à rire et on entend des éclats de voix.

– Houlà, il s'énerve ton nouveau, commente Justine.

En effet, Ulysse semble en colère. Heureusement, la sonnerie retentit et, très vite, Johan et Vernon s'éloignent.

Je regagne mon rang. Ulysse est écarlate, à deux pas de moi.

– Ben alors le goret, faut se détendre ! crie Vernon qui passe près de nous, hilare.

Il s'éloigne en poussant des cris de cochon qu'on égorge.

Personne ne réagit. Ulysse baisse la tête en rajustant son sac sur les épaules. Mme Tercieux, notre prof de français, vient nous chercher et nous avançons en direction de la salle de cours.

Tout en suivant ma classe, je réalise que j'ai toujours une boule dans la gorge.

Kim et Justine s'entendent vraiment bien. Et comme elles passent leurs journées ensemble, je vois d'ici ce qui va arriver... Elles deviendront des MEILLEURES AMIES.

— Il faut sortir son classeur, me chuchote soudain mon voisin.

Je suis tellement absorbée par mes pensées que je n'ai pas entendu la consigne de la prof. Je me suis même assise à côté d'Ulysse sans m'en rendre compte.

— Un problème, Laure ? demande la prof en me faisant sursauter. Tu tiens ton classeur comme si j'allais te l'arracher. Ne t'inquiète pas, j'ai le mien.

Je rougis sous les rires des élèves avant de saisir mon stylo comme si ma vie en dépendait. Ulysse ne relève pas la tête. Il semble super concentré et il n'arrête pas de griffonner sur sa feuille.

Le cours passe très vite, cette prof est intéressante quand elle ne se moque pas de moi. Juste avant la sonnerie, elle annonce :

– J'aime beaucoup fonctionner par projets dans ma classe. Très prochainement, aura lieu la Semaine de la Presse, une semaine riche en apprentissages pour les élèves des écoles, des collèges et des lycées. Afin de vous y préparer, je souhaiterais que, pour notre prochain cours, vous apportiez quelques exemplaires de la presse que vous lisez.

La sonnerie retentit et Mme Tercieux nous libère. (Sans devoirs. Elle entre directement dans le top trois des profs que je préfère cette année.)

Depuis toujours, je suis la dernière à sortir de classe. En tant que maniaque du rangement, j'aime que tout soit en ordre dans mon sac. Je viens de trouver pire que moi.

Ulysse est encore en train de pousser soigneusement sa chaise contre son bureau quand je sors de la salle.

Justine m'attend à l'arrêt de bus, comme d'habitude.

Seul petit changement : il y a une intruse à côté d'elle, une très jolie fille avec une chevelure faite de dizaines de petites nattes.

– Laure, je te présente…

– Kim, je sais ! je lance sans laisser Justine finir sa phrase.

J'esquisse une grimace en guise de sourire.

– Justine n'arrête pas de me parler de toi! déclare Kim.

– Normal! je lui rétorque. Elle et moi, on est comme les doigts de la main. Inséparables.

Justine pose une bise sur ma joue et, comme par magie, je n'ai plus aucune difficulté à déglutir. Je me sens aussi légère qu'un papillon.

C'est dans cet état que je me rue vers mon portable en rentrant chez moi. Je suis certaine que, cette fois-ci, Alex aura répondu à mon SMS. Depuis avant-hier soir, 18 h 17, je n'ai pas de nouvelles de lui. C'est la première fois qu'il reste si longtemps sans m'envoyer de message puisque, depuis la rentrée, on s'écrit tous les jours.

– J'ai trois tonnes de devoirs! crie Lisa alors que je franchis la porte de la maison. La maîtresse nous a donné TOUTES les tables à revoir! C'est horrible!

– Eh ben, ma maîtresse, elle ne veut jamais en donner des devoirs ! Et moi, j'ai trop envie d'en faire ! lance Luna boudeuse.

Je me précipite dans ma chambre pour échapper aux bavardages de mes sœurs. Leur école a rouvert très vite et depuis, chaque soir, elles nous font un compte-rendu détaillé de leur journée.

Dsl du retard, gt occupé ! Oui ça va. Ma classe est cool. Pl1 de copains/copines.

Love

Ça y est, ça recommence. J'ai de nouveau une petite boule dans la gorge.

Bon, Laure, il faut arrêter de t'angoisser pour rien.

Oui, ce SMS est très impersonnel.

Oui, il parle de ses copains et de ses COPINES.

Oui, il dit vaguement être désolé pour ses quarante et une heures de retard.

Mais ce sont des détails.

« Love » est l'essentiel.

– Encore sur ton portable ? Mais tu y passes ta vie !

La voix masculine qui tente, en vain, de me déstabiliser appartient à Max, le chéri de ma sœur. Il vient souvent à la maison en ce moment vu que Lou et lui filent la parfaite love story en mode « amour éternel sans divorce ». C'est assez incroyable mais aucune rupture dans leur couple n'est à déplorer depuis au moins… trois mois !

– Ces jeunes ! Tous pareils ! Ils ne peuvent pas vivre sans être connectés.

C'est le commentaire de Lou cette fois-ci qui a passé sa tête dans ma chambre.

– Bon, ça va les vieux. Vous allez m'oublier un peu ?

Max et Lou s'éloignent en riant.

J'ai toujours mon portable en main mais je prends la décision d'attendre au moins trente heures avant d'envoyer un nouveau message à Alex.

J'en prépare un, histoire de le stocker dans mes brouillons et de l'envoyer quand je le jugerai nécessaire.

Cool ! Moi aussi j'ai pl1 de nouveaux amis. J'adore la 5ᵉ

Love

– Laure ! Tu me fais réciter la table de 8 ? Lou et Max sont déjà repartis.

Lisa rentre dans ma chambre sans frapper, ce qui me fait sursauter. Résultat ? Mon doigt appuie sans le vouloir sur « envoyer » et le SMS d'Alex part.

Je n'ai même pas une heure de retard par rapport à son envoi.

En plus, j'ai écrit un ramassis de mensonges.

Lisa doit lire ma colère sur mon visage parce qu'elle bat en retraite en murmurant :

– Bon... Ben, je vais peut-être aussi réviser la table de 9 et je reviens.

Je décide de me concentrer sur mes cours parce que je sens que je vais exploser.

J'ouvre mon classeur et je découvre qu'une feuille qui ne m'appartient pas s'est glissée parmi les miennes. Seul le titre du cours de Mme Tercieux trône en haut de la page qui est couverte de dizaines de minuscules personnages, dont une caricature incroyable de la prof !

Ces dessins sont l'œuvre de mon voisin de classe, Ulysse. Je comprends maintenant pourquoi il était si concentré sur sa feuille...

– Je peux entrer Laure ? demande prudemment Lisa devant la porte de ma chambre.

Je lui souris tout en l'interrogeant :
– 9 fois 6 ?

Lisa connaît bien ses tables mais ce n'est pas ce qui me redonne le sourire.

Je pense à la passion d'Ulysse qui est LA MIENNE ! Le dessin ! Je m'imagine déjà en train de réaliser une BD avec lui.

Mon rêve !

Des scoops en pagaille

– Et si on allait tous voir *Princesse
Alexandra se marie*?

– Sûrement pas! On a déjà subi
Princesse Alexandra 1 et 2, hors de question que je regarde le 3. En plus, elle est
cruche, Alexandra!

– Papaaaaa! Lisa elle a dit que…

Luna s'éloigne, très en colère. Elle
déteste qu'on critique son idole du
moment.

– Franchement, c'est une vraie nouille, sa princesse ! Elle passe son temps à pleurer parce que le prince Machin Truc est en guerre. Elle n'a qu'à monter sur un cheval et le rejoindre. Comme Maryse Halter, tu l'as vue sur cette photo, en saut de haies ?

Lisa me tend le magazine qu'elle est en train de feuilleter : *Le sport au féminin* en est le gros titre.

– Tu sais que les femmes n'ont pas été admises tout de suite à concourir pour les JO ? m'explique sérieusement ma sœur.

Je hoche la tête en essayant de me concentrer sur la rédaction du SMS que je compte envoyer à Alex.

– Papa, il m'a dit qu'il m'emmènerait voir *Princesse Alexandra se marie*, euh ! lance Luna en revenant dans le salon.

– J'irai voir autre chose avec Lou, je m'en fiche, lui répond Lisa.

– Sûrement pas ! s'exclame notre sœur aînée qui vient d'apparaître. J'ai un emploi du temps de ouf ce dimanche, je n'ai pas le temps d'aller au ciné. Je dois poser mes petites annonces.

– Des annonces pour quoi ? questionne papa qui s'installe à son tour au milieu des quatre L.

– Maman ne t'a pas dit ? lui répond Lou. Je vais monter un club de baby-sitting.

– Quoi ? je m'exclame exactement en même temps que mon père.

Lou se lance alors dans de grandes explications à propos de la « micro-économie » et du statut de « travailleur indépendant ». En gagnant de l'argent, elle « va conquérir son indépendance financière ».

Le pire, c'est qu'après ce discours fumeux papa sourit et semble épaté.

– Ton club, tu ne comptes pas l'installer à la maison ? je demande prudente.

– Je ne sais pas si tu es au courant, mais on n'a pas de jardin, répond Lou en s'étirant. Donc, oui, ce sera à l'intérieur.

– Je ne sais pas si tu es au courant, mais on est déjà quatre filles et rien que pour écrire un SMS un dimanche matin, c'est mission impossible. Alors avec une horde sauvage de petits…

Lou hausse les épaules.

– Dans tout système économique, il y a des sacrifices à faire, déclare-t-elle.

Mon père se met à rire en rejoignant la cuisine.

Et c'est tout.

Je suis la seule à penser qu'un club de baby-sitting sera un enfer. Lisa et Luna ont l'air enthousiastes et elles en oublient leur querelle sur princesse Alexandra puisqu'elles proposent à ma sœur de l'aider à poser ses annonces dans le quartier.

Je quitte le salon, en colère, à la recherche de ma mère, bien décidée à lui parler de ce projet dément. En apprenant qu'elle est allée chercher du pain, je pars à sa rencontre. Impossible de l'attendre, ce club de baby-sitting me rend folle !

En tournant au coin de ma rue, je m'arrête net.

De l'autre côté du carrefour, j'aperçois Justine qui déambule tranquillement AVEC KIM.

Et je ne suis absolument pas au courant de leur rendez-vous.

– Tu m'aides à porter mes baguettes, ma chérie?

La voix de maman me sort de ma stupeur. Justine est déjà loin. Pour ne plus penser à elle, j'évoque le projet baby-sitting de Lou et ma mère me rassure.

– Hors de question que la maison devienne une crèche ou un centre de loisirs, ne t'inquiète pas ! rit-elle en voyant mon air inquiet. Je veille au grain. Lou a toujours de grands projets mais ses réalisations sont parfois… invisibles.

Je me sens soulagée en rentrant à la maison. Par contre, ma colère contre Justine reste entière. Du coup, même isolée dans ma chambre, j'ai du mal à me concentrer sur le message que je veux envoyer à Alex. Je n'ai reçu que quatre SMS de sa part en une semaine.

Alerte rouge !

Il est 21 h 12 quand je rédige enfin mon message. J'ai passé des heures à chercher une citation qui me plaise. J'ai trouvé une phrase de Guillaume

Apollinaire qui résume exactement ce que je pense.

Il est grand temps de rallumer les étoiles.

Love

Je m'endors en rêvant à la première fois où j'ai vu Alex. À la colo[1], il y a une éternité déjà…

Ce matin, je n'ai pas rejoint Justine à notre point de rendez-vous dans la cour.

J'ai fait exprès de la zapper.

J'ai passé l'intercours à essayer de trouver Ulysse. Je lui ai rendu la feuille couverte de ses « œuvres » mais je n'ai pas réussi à lui parler dessin. Il est clair qu'il n'a pas envie de partager sa passion.

– Lauaurc !

Justine est de l'autre côté de la cour et elle me fait de grands signes. Je l'ignore superbement et je rejoins un groupe de filles de ma classe.

1. Lire, dans la même série, *Quatre sœurs en colo*.

Mon ex-meilleure amie n'abandonne JAMAIS. Elle traverse la cour au pas de course et je me mets à rire en mode « elles sont trop drôles mes nouvelles amies ! ». Celles-ci me regardent bizarrement d'ailleurs parce que l'histoire qu'elles racontent est très sérieuse.

– Tu es sourde en plus d'être aveugle ? s'écrie Justine en se campant devant moi les poings sur les hanches.

– Je vous présente Justine, une ancienne copine de sixième, je lâche en me tournant vers le groupe.

Les filles de ma classe nous adressent des sourires forcés. Elles connaissent notre duo et elles doivent se demander pourquoi j'en fais des tonnes. Justine, elle, ne sourit pas du tout.

– Merci pour « l'ancienne » copine, s'écrie-t-elle les narines frémissantes de colère. Tu aurais pu me prévenir que tu ne viendrais pas !

– Tu n'es pas avec Kim ? je l'interroge en prenant l'air le plus cool possible. Elle est malade ?

Le groupe qui nous fait face semble soudain passionné par nos échanges de plus en plus secs.

– Quel rapport avec Kim ? s'exclame mon ex-meilleure amie.

– Tu te balades avec elle le dimanche sans me prévenir, je lui réponds du tac au tac.

La sonnerie empêche Justine de se justifier. Elle commence une phrase puis s'arrête. Elle m'adresse un sourire triste avant de repartir en courant.

La petite balle de ping-pong reprend immédiatement sa place dans ma gorge.

En entrant en cours de français, je me dirige vers la place vide à côté d'Ulysse. Lui parler dessin me fera le plus grand bien, j'ai besoin d'oublier mes problèmes avec Justine.

Malheureusement, je n'ai pas le temps de bavarder puisque la prof nous demande de sortir les magazines demandés au cours précédent. Seuls trois journaux apparaissent sur les tables.

– C'est tout ce dont vous disposez côté presse ? nous questionne Mme Tercieux d'un air atterré.

On regarde tous par terre avec beaucoup d'intérêt.

– Savez-vous que je souhaitais faire en sorte qu'après la Semaine de la Presse les mots tels que la « une », un « éditorial », une « chronique », un « chapeau », une « manchette », des « marronniers », qui sont autant de termes techniques relatifs aux journaux, n'aient plus aucun mystère pour vous ?

– Pour les marronniers, on est au courant que ce sont des arbres, madame, lance Noah hilare.

La prof ne soupire pas.

Elle ne connaît pas encore Noah et ses dizaines de remarques inutiles par cours…

– Justement ! Un marronnier en presse, ce n'est pas un arbre ! s'écrie-t-elle.

– C'est un sujet dont on parle dans la presse écrite chaque année, à la même période, quand l'actualité n'est pas assez riche, murmure Ulysse.

Je suis la seule à avoir clairement entendu cette définition qui rejoint celle que donne notre prof. Je jette un œil sur Ulysse. Il n'a pas levé la tête. Mon voisin me semble de plus en plus étrange. Mme Tercieux nous explique que les classes de troisième vont s'occuper de la gestion d'un kiosque à journaux dans la cour.

– Je souhaitais vous proposer des analyses d'articles avant de profiter du kiosque et de mettre en place des chasses à l'info, des tables rondes, des débats. Cette Semaine de la Presse pourrait être pour vous l'occasion de devenir de vrais journalistes et je comptais vous demander d'imaginer des projets.

Je sens déjà des fourmillements dans mon cerveau. J'adore ce genre de prof!

– Je ne vais pas insister longtemps, conclut Mme Tercieux. Travailler sur la presse demande un investissement personnel et du dynamisme! Pensez-y d'ici le prochain cours.

Dans le couloir, les commentaires vont bon train. Je hausse les épaules en écoutant certains élèves se plaindre de l'énergie excessive de notre prof. C'est elle qui a raison, il faut avoir des tonnes de projets dans la vie, c'est tellement plus drôle!

Ulysse sort de la salle juste au moment où on dévale les escaliers. Il est TOUJOURS le dernier. Je ralentis pour le laisser me rejoindre.

– Et toi, tu en penses quoi de ce travail autour de la presse? je l'interroge enfin.

— Bof. Pas d'avis, murmure-t-il l'air peu concerné.

— Et si la prof nous parle de dessins de presse, tu seras toujours aussi peu inté-ressé? je le questionne, maligne.

— Pour l'instant, mes dessins, je les fais sur mes feuilles de cours, déclare Ulysse en accélérant le pas.

— Justement, tu ne voudrais pas me montrer ce que tu fais, J'adore le dessin moi aussi et...

Mais Ulysse est déjà loin. On appelle ça « se prendre un blanc monumental ».

Je me demande ce que j'ai en ce moment… D'abord Justine qui s'éloigne, ensuite Ulysse qui m'évite.

Il ne manquerait plus qu'Alex n'ait PAS répondu à mon SMS d'hier.

D'une main tremblante, en rentrant à la maison, j'attrape mon portable.

Le fond de mon écran s'allume et me laisse découvrir l'impensable.

Je n'ai AUCUN message d'Alex.

Une idée géniale

Dans un collège aussi petit que le mien, il est très difficile d'éviter son ex-meilleure amie plus de vingt-quatre heures.

En ce qui me concerne, j'ai tenu 12 h 24.

Je reparle donc à Justine depuis une semaine. Désormais, on passe nos inter-cours devant le kiosque à journaux, constitué d'exemplaires de presse mis à la disposition des élèves. Justine a tenu à modifier notre lieu de rendez-vous.

Elle a eu une révélation... qui n'a aucun rapport avec la presse.

Elle est juste in love.

Totalement ensorcelée par l'un des responsables du kiosque, Morgan, un Beau Gosse de troisième dont la moitié des filles du collège sont amoureuses.

– Tu as vu, Laure ? Il m'a souri légèrement, non ? chuchote Justine. Tu es témoin toi aussi, Kim ?

– Ouais grave, affirme celle-ci en hochant la tête.

Je hausse les yeux au ciel. Non seulement Kim suit Justine comme son ombre mais en plus elle répète toujours la même chose !

– Je crois qu'il m'a repérée, continue ma copine alors qu'on marche dans la cour.

– Évidemment, tu es la SEULE fille du collège qui se rue au kiosque à chaque intercours ! je lâche en riant.

– Oui, mais on y va avant tout pour se documenter, affirme Justine qui essaie de s'auto-convaincre.

– Ouais grave, lance Kim avec beaucoup d'originalité.

– Notre prof de français démarre
les ateliers Journal du Web aujourd'hui
entre midi et deux, continue Justine. On
s'est inscrites, Kim et moi.

– Vous ne mangez plus à la cantine le
mardi alors ? je demande.

– Ben non, me répond Kim. Désolée
Laure, on a trop envie de se lancer dans
ce projet.

Je me mords les lèvres. J'ai une sou-
daine envie de lui crier : « Mais tu pro-
nonces des phrases complètes ! »

J'essaie de me composer un visage
neutre alors que je suis terriblement
déçue et jalouse ! D'abord parce que
j'aurais adoré participer à ce genre d'atelier. Ensuite parce que je serai exclue du
duo Kim-Justine une fois par semaine.

– Ma Lolo, ne fais pas cette tête ! Je
te promets que je te raconterai ce qu'on
fait les midis où on n'est pas avec toi,

murmure Justine en me serrant contre elle.

Kim m'adresse un gentil sourire.

Malgré tout, je regagne ma classe le cœur un peu gros.

Alors que je m'assois à côté d'Ulysse, une belle surprise m'attend. Mon voisin de table glisse un papier entre nous deux. Il a dessiné Noah, le bavard de notre classe, la tête couverte de bogues, déclarant dans une bulle : « Mais madame, un marronnier, ça fait bien des marrons, non ? »

Je me mets à rire et Ulysse me fait signe de garder sa caricature.

– Merci, c'est gentil. Moi aussi, j'adore dessiner, je murmure. Mais je suis plutôt mangas. Ça t'intéresse que je t'en apporte au prochain cours?

– Ouais, si tu veux, me répond Ulysse sans me regarder.

J'ai du mal à comprendre ce garçon. Il m'évite puis m'offre un dessin avant de rester dans le vague total face à ma demande. Mme Tercieux, en très grande forme, commence son cours en tapant sur son bureau avec une règle.

– Avis à la population! dit-elle en souriant. Dans le cadre de la Semaine de la Presse, je souhaiterais vous transformer en reporters de votre quotidien. Proposez-moi par petits groupes des façons originales de traiter votre actualité de collégiens. Vous avez une semaine avant d'exposer votre idée devant la classe, ensuite nous procéderons à un vote pour décider quel projet sera retenu.

– Oui mais madame, si on n'a aucune idée ? demande Noah d'un ton tragique.

Notre prof soupire légèrement. Elle commence à cerner le garçon aux mille questions inutiles.

– Eh bien Noah, tu t'associeras à un camarade qui en a plein ! lui répond-elle en souriant.

Elle passe ensuite au cours proprement dit et Ulysse, fidèle à lui-même, griffonne des tas de dessins en prenant des notes. Ses cours doivent ressembler à du gruyère !

Au self, je me retrouve derrière lui. Héloïse, une fille plutôt sympa de ma classe, me propose de m'asseoir à sa table.

– Ulysse ! je lance alors à mon voisin. Ça te dit de venir avec nous ?

– Non, je suis pressé, me répond-il avant de s'éloigner à l'autre bout de la cantine avec son plateau.

Héloïse fait une grimace tandis que je m'installe à ses côtés.

— Tu parles au nouveau ? m'interroge-t-elle.

— Ben... Évidemment ! C'est mon voisin en français. Il est...

— Tu as un projet presse à proposer, toi ? me coupe Héloïse, qui visiblement ne s'intéresse pas à Ulysse.

— Euh... Pas pour l'instant mais j'ai très envie d'y réfléchir sérieusement ce week-end.

— Flavie et moi, on va exploiter...

J'écoute distraitement ma voisine de table. Je repense au petit discours de Mme Tercieux tout en observant Ulysse qui est seul finalement. Quel garçon bizarre ! J'aimerais vraiment travailler avec lui sur un projet dessiné. Je suis certaine que notre duo fonctionnerait sur une feuille Canson.

— Alors ? Ça te branche ?

Je regarde Héloïse avec un air de poisson rouge. Je n'ai pas écouté ce qu'elle me disait.

– Ça serait sympa qu'on travaille ensemble, non? continue-t-elle.

Je finis par comprendre qu'elle souhaite m'associer au duo qu'elle forme avec Flavie. Je lui souris gentiment même si je sais d'avance que je ne serai pas la troisième de leur groupe puisque Flavie est une peste de premier ordre qui critique tout le monde.

En sortant de la cantine, j'essaie de retrouver Ulysse dans la cour mais impossible de l'apercevoir.

Je m'apprête à regagner mon rang quand je le vois qui sort du CDI. Il se fait bousculer et renverse les feuilles qu'il tenait à la main. Alors qu'il se dépêche de les ramasser, Johan de la 5e2 déboule et shoote avec un plaisir évident dans les papiers. Je m'approche et j'entends Ulysse s'énerver.

— Allez le goret, détends-toi! rit Johan
en ramassant une des feuilles. Oh, mais
tu dessines aussi? Tu ne fais pas que te
rouler dans la boue?

Ulysse essaie de récupérer son bien
mais Johan s'éloigne en poussant des
cris de cochon. J'ai du mal à comprendre
pourquoi Johan et Vernon s'acharnent
gratuitement sur le nouveau.

— Tu veux que je t'aide? je demande à
Ulysse.

– C'est bon. Laisse ! me répond-il d'un ton agacé.

Il s'éloigne ensuite à grands pas et passe l'après-midi seul à une table à chaque cours. J'avoue que je n'ose plus m'approcher de lui.

En rentrant à la maison, je me précipite sur mon portable et je relis pour la centième fois le dernier SMS d'Alex. Il a mis quatre jours à me répondre mais mon attente a été récompensée.

Prêt à tt pour retrouver 1 briquet. Je me souviens encore des étoiles de la colo.

Love

Ses messages me font toujours le même effet, j'ai envie de faire un triple salto arrière au-dessus de mon lit.

J'ai déjà réussi à tenir 11 h 15 sans lui en envoyer un nouveau. C'est dur, mais il faut que je résiste.

Je m'installe dans la cuisine pour goûter en compagnie de Lisa et Lou.

Je raconte à ma sœur aînée le projet presse lancé par notre prof.

— Il faudrait que je trouve une idée originale pour traiter mon actualité de collégienne.

— Sors des sentiers battus, déclare Lou avec la voix d'adulte qu'elle prend quand elle veut m'expliquer la vie. Laisse tomber le côté journal classique. Il faut du *fun*, du *catchy*, du *real life from high school*, tu vois. Tu dois l'étonner ta prof, la rendre *amazed*.

Je souris discrètement. Lou se prend pour une Américaine depuis qu'elle en a une pour amie dans sa classe.

— 6 fois 6, 36 ! hurle Luna en rentrant dans la cuisine. J'ai appris TOUTES les tables moi aussi !

— Pffft ! commente Lisa qui est plongée dans une BD. Tu n'as aucune idée de ce que ça veut dire !

— 5 fois 5, 25 ! continue la petite L.

– Et à part ça, tu connais d'autres résultats ? lui demande Lou, intéressée par la performance de notre sœur.

– Oui ! 3 fois 3, 33 ! et 4 fois 4, 24, affirme Luna avant de disparaître, un gâteau à la main.

– Ça ne marche pas à tous les coups ! je commente tout en louchant sur l'album que feuillette Lisa.

Je finis par me lever pour y jeter un œil.

– C'est carrément pas-sion-nant ! affirme-t-elle en me montrant la couverture. C'est une BD de la série *Dessine-moi…* J'ai choisi celle sur le sport. Je t'ai dit que j'allais faire un exposé sur le sport au féminin ?

Lisa se met à me raconter ce qu'elle compte écrire et j'en profite pour feuilleter la BD à mon tour. Sur chaque page, quelques vignettes humoristiques racontent une anecdote liée au sport.

– C'est génial, je murmure en tournant lentement les pages.

– Et tu sais qu'il en existe plein ? insiste Lisa. Il y a *Dessine-moi le Moyen-Âge*, ou *le système solaire*, ou *les reptiles d'Afrique*, ou *les océans*, ou *la…*

Sans attendre la suite, je m'éloigne à toute vitesse vers mon bureau. J'ai une idée au top ! Et j'ai besoin d'Ulysse !

Il faut qu'on illustre notre actualité de collégiens sous forme de BD. On pourrait imaginer des strips[1] qui la mettraient en scène.

1. Bande dessinée composée de quelques cases disposées le plus souvent à l'horizontale.

J'ai des fourmis dans les mains et je commence à crayonner cinq vignettes racontant la mise en place du kiosque à journaux.

Ensuite, je ne peux pas résister.

J'envoie un SMS à Alex pour lui raconter mon projet.

J'ai tenu 11 h 52…

Un duo pour un projet?

– Maman! Laure, elle ne fait que dessiner au lieu de boire son lait! Moi aussi je veux mes crayons, comme elle.

Je fais mon regard de la « mort qui tue » à Luna. Je veux absolument terminer mon strip avant d'aller en cours. Mon objectif : le montrer à Ulysse pour qu'il accepte de travailler avec moi. Je nous vois déjà présenter notre strip à Mme Tercieux.

– Mamammmmmffff.

Je viens d'adopter la technique de Lisa. Je dessine d'une main et de l'autre je bâillonne ma sœur. C'est efficace en général. D'autant qu'en même temps, je lui chuchote au creux de l'oreille que, ce soir, je lui dessinerai princesse Alexandra en très grand si elle se tait.

Du coup, lorsque j'arrive au collège, mon strip est prêt et la première chose que je fais, c'est de chercher Ulysse.

Et je tombe sur Justine. (Évidemment elle n'est pas seule !)

– Laure, j'ai un scooop de folaïe ! m'explique-t-elle en m'attrapant le bras.

– Graaaave ! ajoute Kim tout excitée.

– Notre prof de français a sélectionné notre duo pour préparer des articles destinés à notre journal version numérique.

– On va avoir un boulot de malaaaades !

J'essaie vraiment de sourire cette fois-ci. Je vois bien à quel point Justine est fière d'avoir été retenue.

– Je ne sais pas si on pourra se voir aux intercours, ma Lolo, continue Justine. On aura tellement de trucs à préparer, Kim et moi !

Je prends l'air blasé de celle qui a un emploi du temps de ouf avant de lâcher :

– Pour moi, no problemo. J'ai un projet en cours très prenant aussi. C'est juste pour Morgan que ça va être embêtant. S'il ne te voit plus…

Et bim, dans le mille ! Justine, désespérée, se tord les mains avant de déclarer alors que la sonnerie retentit :

– T'as raison, c'est trop horrible si je l'abandonne maintenant.

Kim lâche un « grave » totalement inédit. Je cours rejoindre ma classe.

Je dois attendre midi pour réussir à stopper Ulysse qui s'apprête à dévaler les marches.

– Je t'ai cherché à l'intercours mais…

– Désolé ! Je suis allergique à un duo d'abrutis qui sévit dans la cour, murmure-t-il d'un air embarrassé. Je préfère rester au CDI.

– Tu as raison, il y a un paquet de gros lourds au collège ! j'approuve en hochant la tête. Tu as une minute pour que je te parle d'une idée que j'ai eue ?

Ulysse regarde sa montre.

– Je dois être à la cantine d'ici quinze minutes, soupire-t-il. Je ne rentre pas chez moi le mercredi, je suis interne.

J'ouvre de grands yeux, étonnée de ne pas être au courant de son statut. Je sors rapidement mon strip et je le brandis devant ses yeux.

– Voilà ce qu'on pourrait proposer au prochain cours de français !

– « On », c'est qui ? demande Ulysse les sourcils froncés.

– Ben... C'est nous deux, je lâche un peu refroidie. Enfin... Si tu es ok.

Deux élèves nous frôlent en poussant des cris de cochon qu'on égorge. Je reconnais deux copains de Vernon de la 5e2. Mon voisin ne relève pas. Il regarde mes croquis.

– Pas mal ton strip, commente-t-il.

Il relève la tête en souriant.

C'est la première fois que je vois la couleur de ses yeux !

– Mais je ne suis pas dispo pour des projets comme ça, finit-il par déclarer.

Son sourire a disparu et le mien aussi, évidemment.

– Et si tu essayais de mettre un peu ta patte dans mon projet ? j'insiste. Tu pourrais le rendre encore plus *catchy*, le transformer en *real life from high school*.

Il m'interroge du regard et je suis obligée de lui parler du « bilinguisme » de ma sœur aînée.

– Pourquoi sœur aînée ? Tu en as d'autres ? me demande-t-il curieux.

– On est quatre ! Lou, Laure, Lisa, Luna, les quatre L ! j'explique fièrement.

Ulysse sourit pour la deuxième fois avant de m'avouer qu'il est fils unique et que les familles nombreuses le font rêver. Et puis, d'un coup, sans explication, il reprend mon strip et le glisse dans son sac.

– Je vais voir ce que je peux faire ! lâche-t-il avant de descendre l'escalier à toute vitesse.

Arrivé en bas, il crie :

– Je ne te promets rien !

Je rentre à la maison sur un nuage…

C'est en rallumant mon portable que mon ciel bleu se transforme en déluge. Alex a mis vingt-quatre heures pour me répondre, c'est un record de vitesse mais j'aurais préféré ne rien recevoir.

Après nos SMS pleins d'étoiles, j'étais de nouveau sur un nuage, j'ai voulu savoir pourquoi, parfois, ses réponses étaient si longues à venir. J'avais donc posté un :

Je réponds tjs plus vite que toi, t super occupé ? Love

Il vient de me renvoyer :

Pas le tps de t'envoyer des sms tlj DSL

C'est comme si je me prenais une porte en pleine face.

Le « love » a disparu.

C'est la fin…

Je me couche sur mon lit avec un oreiller sur la tête, totalement déprimée.

– Louuou! crie Luna dans le couloir. Laure, elle est malade! Elle ne pourra pas me dessiner princesse Alexandra en grand.

Le mercredi midi, c'est notre sœur aînée qui gère la maisonnée. Évidemment, Lisa passe sa tête par la porte entrouverte tandis que Luna grimpe sur mon lit, inquiète. En infirmière confirmée, elle passe sa main sur mon front, comme le fait maman quand nous sommes fiévreuses.

– Elle doit avoir 39 12, lâche-t-elle d'un ton doctoral, alors que Lou arrive à mon chevet.

– Arrête de dire des nombres au hasard! rétorque une Lisa exaspérée. Quand ce ne sont pas les résultats des tables de multiplication, c'est la température de Laure que tu inventes.

Lou fronce les sourcils en regardant le téléphone que je tiens encore dans la main.

– Ok. C'est la maladie du portable. *Don't worry,* déclare-t-elle en s'asseyant à son tour sur mon lit. Réunion de crise !

Ce type de rassemblement a lieu régulièrement à la maison. Dès que l'une des quatre L a un gros souci ou un grand chagrin, les trois autres L tentent de trouver une solution ou au moins de la consoler durablement.

– C'est quoi ton problème ? me demande Lisa très sérieusement.

Je soupire avant de lâcher en vrac la somme de mes soucis. Je parle de Justine et de son amitié grandissante avec Kim, mais j'insiste surtout sur l'éloignement progressif d'Alex.

– Dans son dernier SMS, il n'a même pas fini par « love ». C'est mort non ?

Mes trois sœurs prennent un air super grave. Surtout Luna qui adore les réu-

67

nions de crise parce qu'on l'écoute comme une grande.

– Eh ben moi, si Amounia serait plus ma copine, je le dirais à la maîtresse, m'explique-t-elle. T'as qu'à le dire pour Justine !

– On dit si Amounia *n'était* plus ma copine, rectifie Lisa. Pour Justine, tu ne dois pas t'en faire, Laure. Vous êtes les meilleures amies du monde et de la galaxie intersidérale depuis la maternelle. Personne ne peut vous séparer, c'est évident !

– Quant à Alex, il faut que tu comprennes que la distance rend parfois les choses plus compliquées, ajoute Lou en mettant sa main sur mon épaule. Mais éloignement ne signifie pas fin pour autant. On peut s'éloigner pour mieux revenir, crois-moi !

Je regarde Lou, Lisa et Luna qui me sourient. Je les serre contre moi.

On peut dire ce qu'on veut…

Quatre sœurs, c'est quatre fois plus d'amour et de soutien !

Après le déjeuner, j'ai à nouveau une pêche d'enfer ! J'ai décidé de reconsidérer mes prétendus problèmes.

Au moment où je pense à Justine, la sonnerie de mon portable retentit.

➤ *SOS Laure. Besoin de toi suis au fond du trou.*

Il n'y a que ma copine pour être aussi tragique.

Ne tire pas la chasse surtout !

➤ *MDR tu veux me sauver la vie ?*

Ça dépend. T poursuivie par une bête dangereuse, genre caïman ou guépard ?

➤ *Pire que ça. Je dois DESSINER quelque chose et tu n'es pas là !*

Demande à Kim, elle doit graaave savoir.

➤ *C mesquin ça ! Suis devant chez toi en train de me suicider en avalant le contenu entier de ma boîte de pastels.*

Lorsque j'ouvre ma porte, je découvre Justine assise par terre.

– Tu es là depuis longtemps?

– Depuis exactement neuf minutes, le temps de nos échanges par SMS, me répond-elle en riant.

On tombe dans les bras l'une de l'autre. Je pense à Lisa qui nous a nommées les « meilleures amies du monde et de la galaxie intersidérale depuis la maternelle ». Elle a raison, RIEN ne pourra jamais nous séparer!

Je peux définitivement oublier la balle de ping-pong imaginaire qui rendait parfois ma déglutition difficile. J'entraîne ma copine dans ma chambre et, en quelques coups de crayon, je lui fais un brouillon pour le dessin qu'elle doit rendre en arts plastiques le lendemain. Pendant ce temps, je lui donne des nouvelles de ma vie... et elle de la sienne.

– Pour Alex, tu dois être ferme. Un peu comme Morgan et moi, tu vois, m'explique-t-elle. Quand il m'ignore, je ne le calcule pas. Même pas un demi-regard... Fais pareil. Mets ton chéri au pied du mur. Pas de Love. Toi aussi, sois froide ! Ou mieux, ne lui écris plus du tout, il va mourir d'inquiétude.

– Je serai morte avant lui, je soupire.
– Non, je te ranimerai ! J'ai trop besoin de tes conseils pour mon histoire d'amour naissante.

Justine se met à battre exagérément des sourcils. Elle s'évente ensuite avec ma feuille Canson.

– Morgan le BG du collège Einstein... Mon kif du mois...

Elle fait mine de s'évanouir et je me mets à rire comme une folle.

Avant de me quitter, Justine valide le SMS que j'envoie à Alex :

Pas vraiment le tps de lire les tiens non plus DSL.

Mon doigt tremble en appuyant sur la touche « envoi », mais Justine secoue la tête pour m'encourager. Jusqu'à maintenant, ma meilleure copine a toujours été une super conseillère.

Jusqu'à maintenant...

Un vote décevant

Je suis super nerveuse ce matin. Je n'arrive pas à me raisonner. J'ai TROP envie que ma classe vote pour le strip qu'Ulysse vient de me rendre. Il a fait un travail génial à partir de mes croquis.

– Tu m'aideras à défendre notre projet? je lui chuchote alors qu'on s'installe côte à côte pour le cours de français.

Ulysse me fait un vague signe de tête. Je sens que je vais devoir me débrouiller seule.

Il y a sept groupes candidats dans la classe et j'écoute les propositions des uns et des autres avec… impatience ! L'idée de « l'hebdo classique » avec « reportages sur la vie au collège » déclenche des applaudissements. Évidemment, c'est Dan, le « leader » de notre cinquième qui présente le projet et TOUT ce que dit Dan est si formidaaaaable…

Quand Mme Tercieux nous appelle, je me lève en espérant que mon voisin me suivra mais il reste les yeux rivés sur sa feuille, son crayon à la main. Désespérant !

— Notre idée à Ulysse et moi, c'est de présenter un ou plusieurs faits marquants au sein du collège chaque semaine. Mais l'originalité du projet, c'est de le faire sous forme de BD : avec un strip comme celui que j'ai affiché au tableau. Il nous faut plusieurs participants : certains pour les scénarios, d'autres pour les bulles. Je précise qu'Ulysse et moi, nous nous proposons pour la partie dessinée.

– C'est sympa, ça ! lance la prof qui jusqu'à maintenant n'avait fait aucun commentaire.

Ulysse relève la tête et la regarde d'un air surpris. Je regagne ma place, un peu inquiète. Les élèves m'ont souri, c'est vrai. Mais j'ai la nette impression que le nom d'Ulysse les a refroidis et je n'arrive pas à comprendre pourquoi.

La suite me donne raison.

La classe vote à la quasi-unanimité pour le projet de Dan. J'essaie VRAIMENT de ne pas montrer ma déception mais c'est super dur ! Ulysse ne réagit pas. Il continue à dessiner.

Au moment de quitter la classe, alors qu'on est encore les bons derniers, Ulysse et moi, Mme Tercieux nous appelle à son bureau.

– Je ne vous cache pas que j'ai a-do-ré votre idée.

C'est comme si un rayon de soleil avait envahi la classe. Mon voisin et moi, on sourit exactement en même temps. Ulysse n'est donc pas en béton armé.

– Il faut que vous présentiez un nouveau strip. Parlez-nous d'un autre moment fort de votre semaine au collège et mettez-le en images. Je suis persuadée qu'on peut convaincre la classe avec votre projet.

J'ai envie de sautiller comme un cabri en sortant de la salle. J'ai rendez-vous avec Justine et Kim à la cantine, mais Ulysse décline l'offre de m'accompagner. En m'installant à la table de ma copine, je constate une fois de plus qu'il préfère manger seul.

– C'est dingue ! je m'exclame. Ulysse et moi, on travaille sur le même projet, pourtant, il a refusé de se joindre à nous.

– Encore heureux ! lâche Kim en attaquant son dixième morceau de pain.

Je fronce les sourcils en me tournant vers elle.

– Grave ! continue-t-elle. Le goret à notre table, c'est relou !

   – Attends, tu peux répéter ? je lui réponds en serrant plus fort mes couverts. Tu l'as bien appelé le goret ?

   – Ben ouais ! déclare tranquillement Kim en attaquant le pain posé sur MON plateau. C'est son surnom. Ses parents élèvent des cochons en Champagne. C'est Vernon qui me l'a dit. Il est interne avec lui. Il paraît qu'il pue autant que les bêtes de sa ferme, c'est vrai ?

   D'un seul coup, je comprends tout. L'acharnement de Vernon et Johan, les cris de cochon qu'on égorge que j'entends régulièrement depuis qu'Ulysse est au collège, la manière dont il évite les regards. Je serre mes couverts encore plus fort pour ne pas renverser mon plateau sur la tête de Kim, qui vient, en plus, de terminer mon pain.

– C'est carrément horrible ! je finis par articuler. Parler des cochons, de l'odeur et tout... Comment on peut dire des choses pareilles ? Si je t'appelle madame Gravosse parce que tu répètes ce mot à chaque phrase, ça te fera rire ?

Kim me regarde, bouche bée.

– Je ne comprends pas comment tu peux écouter Vernon qui doit avoir 1,5 de QI ! C'est lui qui se roule dans la boue avec ses insultes.

Ensuite je me lève et, pour bien signifier ma totale désapprobation, je vais m'asseoir à côté d'Ulysse... qui entre-temps est parti. Justine me rejoint.

– C'est trop moche cette histoire, commente-t-elle. Je suis d'accord avec toi, ma Lolo. Sur ce coup, Kim est nulle !

– Grave ! lâche une voix dans notre dos.

Kim nous regarde. Elle a réussi à piquer au moins douze morceaux de pain qu'elle nous tend dans un geste de paix.

– Sorry ! murmure-t-elle. Vous avez raison. J'ai écouté une rumeur débile et j'ai honte.

– Ok Kim. Assieds-toi ! je lui réponds en attrapant le pain qu'elle me tend. On ne fait pas toujours des trucs chouettes dans la vie. Le tout…

– C'est de s'en rendre compte ! complète Justine en souriant.

On finit nos morceaux de pain en commentant « l'affaire Ulysse » et en s'engageant à combattre les bruits qui courent au collège et qui font du mal gratuitement.

Je finis par retrouver Ulysse au CDI.

– Tu n'abandonnes jamais, toi, soupire-t-il tandis que je prends place à côté de lui.

– Écoute, on est ensemble sur un super projet ou on ne l'est pas ?

– Ouais, il paraît, admet-il.

– Si on cherchait un fait marquant pour notre prochain strip ? Tu en dis quoi ?

– Hum… me répond Ulysse qui fait semblant d'être passionné par sa lecture. Genre la semaine type d'un collégien harcelé par sa voisine de cours qui le poursuit, des feutres à la main ?

Je ris et la prof du CDI fronce les sourcils en me regardant.

– Chiche ? je chuchote alors. On se lance dans la semaine type d'un collégien ? On aura plein de choses à dire.

Ulysse reprend son air grave.

– Cette fois-ci, tu fais les croquis et on se donne rendez-vous pour mettre les vignettes en couleur ? je lui demande.

Il acquiesce et avoue :

– Je vais avoir du temps, je reste à l'internat les deux week-ends à venir.

Je lui tends ma main pour un check.

Les cours suivants passent à la vitesse de la lumière et j'ai des tonnes d'idées à proposer à Ulysse pour notre projet.

En arrivant chez moi ce soir-là, je ne me précipite pas sur mon portable. J'ai décidé de rester zen face aux messages quasi inexistants d'Alex. Je bois tranquillement un verre de jus de fruits, je pose mon sac dans ma chambre et je range mes cours.

11 minutes… Un record !

Ensuite, je me rue sur mon téléphone ! J'ai six messages. Les quatre premiers sont de Justine qui prend le méga risque d'apporter son portable au collège, elle… Ma copine est une rebelle !

Ma Lolo d'amour, avec toi ds le dossier Ulysse. G croisé 2 fois Vernon ds les couloirs et je l'ai fixé avec mon regard de la MQT.

Ma Lolo, Vernon m'a traitée de grosse vache anorexique.

Ma Lolo d'amour, grosse et anorexique c impensable MDR ! Vernon est décérébré.

Ma Lolo, Kim a lancé un « QI de ver de terre » à Vernon, g tellement ri que je suis rentrée ds le prof de maths en sortant du couloir!

Le cinquième et le sixième sont des numéros inconnus...

Laure, c Kim. Le prof de maths vient de confisquer le tel de Justine. Grave! Kiss

Je rigole encore en ouvrant le dernier SMS.

C Alex g changé de tel!

Waouh! Mon rire cesse immédiatement. Est-ce qu'Alex a lu mon dernier message? Si c'est le cas, est-ce une réponse? Il me montre qu'il s'en fiche en me lançant son nouveau numéro comme si j'étais juste un contact parmi d'autres?

Je me ronge un ongle, puis un deuxième avant de regagner la cuisine où Lisa et Luna sont en pleine conversation. Mes parents nous ont annoncé hier soir qu'ils partaient en week-end la semaine prochaine et, à notre GRAND étonnement, ils n'ont pas fait appel à tatie Caro[1] pour nous garder. Lou a réussi à les convaincre qu'elle serait une parfaite baby-sitter. (« Non rémunérée qui plus est », a-t-elle précisé.)

– Eh ben moi, quand papa et maman ne seront pas là, je regarderai la télé toute la nuit, affirme Luna enthousiaste.

– Même pas en rêve ! s'écrie Lisa. Tu crois peut-être que la générale en chef te laissera faire ?

L'intéressée débarque dans la cuisine.

– C'est moi que vous appelez la générale ? lâche-t-elle toute contente. J'adore ! Donc mes lieutenantes, garde à vous !

On se met à rire, excitées à la perspective d'un week-end sans parents.

– Au fait ! s'exclame soudain ma sœur aînée. Tu en es où avec ton chéri ?

– Hum… J'ai une nouvelle stratégie. Je le mets au pied du mur. Donc je réponds de moins en moins à ses messages.

1. Lire, dans la même série, *Quatre sœurs en scène*.

Lou sourit en croquant dans une pomme.

— Tu as raison, fais ta *life* ! déclare-t-elle. Tu sais Max et moi, on est passés par bien des tempêtes. Aujourd'hui, notre mer est lisse et calme, *so beautiful*.

Elle regarde au loin comme si son voilier personnel venait d'entrer dans la pièce…

Je jette un œil sur mon portable.

Moi je suis bien loin de la croisière.

Je me demande même si Alex n'est pas déjà dans le canot de sauvetage !

Un week-end entre quatre L

— La boîte à médicaments est sur le meuble bas de la cuisine, déclare papa.

— Lou, ton portable est bien chargé ? Tu as tous les numéros ? demande maman anxieuse. Laure aussi ?

Notre sœur aînée se tient devant la porte d'entrée, elle croise les bras en secouant la tête, patiemment. Je la rejoins, par solidarité.

— Tu sais que Luna ne supporte pas le paracétamol, je t'ai écrit sur un Post-it les médicaments interdits, insiste papa.

Cette fois-ci, Lisa prend la pose avec nous.

– Au fait, si vous voulez, je demande à tatie Caro de passer pour…

– Maman ! proteste Lou. Je t'ai dit qu'on allait parfaitement gérer, tu abuses avec ta sœur.

– Mais… juste pour une bise, ajoute maman d'une toute petite voix.

– Moi, j'adore tatie Caro parce qu'elle nous fait des cookies, commente Luna qui est à présent à nos côtés.

– Et n'oubliez pas de bien fermer la porte à clé, continue papa qui attrape le sac de maman. Vous savez que…

Il s'arrête et nous regarde *toutes*.

On n'a pas bougé d'un pouce et on le fixe en mode « tu nous l'as déjà dit quinze fois ».

Il se met à rire.

– Mes quatre L préférées, je vous adore, lâche-t-il en essayant de nous serrer en même temps dans ses bras. Vous avez raison, on est lourds. Allez Steph!

Maman nous embrasse l'une après l'autre comme si elle partait pour un voyage autour du monde à durée illimitée.

— On sera là dimanche à 17 heures au plus tard, murmure-t-elle d'une voix tragique en serrant Luna un peu plus longtemps. Tu ne vas pas pleurer, mon bébé?

— Tu m'étouffes! proteste l'intéressée. Je ne pleure jamais, moi! Lisa elle a dit qu'on allait trop se marrer sans vous.

Maman s'arrête alors qu'elle était presque sur le palier.

— Comment ça « se marrer »? demande-t-elle en fronçant les sourcils.

— Maman! Ça veut juste dire qu'on ne va pas rester prostrées devant la porte d'entrée en espérant votre retour. On va vivre normalement, quoi!

Lou approuve mon explication et referme la porte doucement tandis qu'on agite nos mains en formant des tonnes de bises sonores avec la bouche.

Ensuite, on doit se précipiter à la fenêtre et continuer nos adieux.

Quand la voiture de nos parents disparaît au bout de la rue, on se regarde. C'est Luna qui déclenche les hostilités. Elle se met à courir dans la maison en poussant des cris d'Indienne. Lisa attrape un coussin et la poursuit en riant comme une folle.

Évidemment, Lou et moi, nous sommes les deux aînées, donc...

On se lance à leurs trousses en criant comme des bêtes sauvages !

Après ce moment de folie douce, on se retrouve *toutes* en tas sur le lit de Lou.

– Je ne vais même pas faire mes devoirs, déclare Lisa.

– Oh que si ! lui rétorque Lou en fronçant les sourcils comme maman. Tu vas me montrer ton cahier de textes, ma cocotte ! Et que ça saute !

– Eh ben moi, déclare Luna, j'ai attrapé plein de « psotites » et je vais les décorer !

Je me mets à rire en imaginant la tête de notre mère si elle apprenait que les Post-it/rappels qu'elle a soigneusement collés depuis hier soir dans les endroits stratégiques de la maison ont déjà disparu.

Luna me tend gentiment l'un de ceux qui étaient fixés sur le frigo.

– Notre équilibre alimentaire est en péril ! je m'exclame. Luna vient de décrocher un « psotite » es-sen-tiel !

Lou fait mine d'être désespérée et les petites L rient comme des folles.

– C'est cool d'être sans les Steph au carré, je déclare en m'étirant, mais j'ai du boulot. Mon projet strip-actu au collège est en bonne voie. J'attends la venue d'un copain, Ulysse. Tu sais Lou, je t'en ai parlé.

Au moment où je finis ma phrase, la sonnette retentit.

Je me précipite vers la porte, persuadée qu'Ulysse se trouve derrière... avant de réaliser qu'il a juste mon 06, pas mon adresse.

– Hello les girls ! s'écrie Max que je découvre sur le palier. Je viens à la rescousse.

Le chéri de ma sœur s'affale dans le canapé avant d'être rejoint par l'ensemble des quatre L.

– Il vous fallait un homme pour passer le week-end ? Je suis là.

Mes sœurs et moi, on se regarde. On a envie de rire.

– Ben quoi ? continue Maxime. On dirait que ça ne vous fait pas plaisir de savoir que je vais veiller sur vous.

– Euh... Comment te dire Max ? lance soudain Lou. On ne t'a JAMAIS demandé une protection personnelle. Mes sœurs et moi, on n'a pas besoin d'un mâle dominant...

Le chéri de ma sœur pâlit.

– Attends, on s'est mal compris.

– Tu t'es sûrement mal exprimé, sourit Lou qui attend la suite.

Lisa, Luna et moi, on décide de les laisser s'expliquer. Je sais d'avance que Lou n'acceptera pas la présence de Max bien longtemps. Quand elle a des responsabilités, elle les prend à cœur et ne les partage pas.

J'attends le coup de fil d'Ulysse toute la matinée. Il n'a pas de portable mais il m'a promis qu'il m'appellerait pour qu'on se voie. Finalement, on travaille sur deux strips.

L'un raconte l'arrivée d'un nouveau au collège, et Ulysse a tenu à s'en charger. Le deuxième met en scène l'injustice des séparations entre « amies pour la vie » le jour de la rentrée. C'est mon « bébé ». Cet après-midi, on a prévu de finaliser les strips.

Enfin, si Ulysse tient parole !

Je finis par envoyer un SMS à Justine juste après le repas.

Id pour joindre un interne au collège ? Rv avec Ulysse à l'eau !

La réponse ne tarde pas. Depuis que Justine s'est fait confisquer puis rendre son portable au collège, elle ne l'emporte plus, mais dès qu'elle rentre chez elle, elle se transforme en mitraillette du SMS !

Regarde le site du collège, il y a forcément le num de l'internat.

Évidemment, il suffisait d'y penser ! Sauf que je passe une partie de l'après-midi à téléphoner dans le vide.

Quand le surveillant de l'internat décroche ENFIN, il est plus de
16 heures. Les jeunes étaient au ciné.

Il finit par me passer Ulysse.

– J'allais t'appeler, grommelle celui-ci
qui a l'air de fort mauvaise humeur.

– Ok... Mais tu avais prévu de le faire
avant Noël?

Il y a un blanc au téléphone.

– Bon Ulysse, tu as envie de bosser sur
les strips, oui ou non?

Le silence se prolonge. J'ai très peur parce que je sens qu'il va lâcher le projet.

– Écoute, je connais les rumeurs qui courent sur toi. Je les trouve ignobles. Moi je n'ai AUCUN problème avec toi. Et je ne participerai jamais à cette chorale de décérébrés !

J'entends un rire à l'autre bout du fil. J'en profite pour glisser :

– D'abord, j'ai fait un séjour à Noël[1] dans une ferme et j'ai a-do-ré. Il faut être débile pour imaginer qu'un éleveur de cochons ressemble à ses bêtes. Je comprends, c'est dur pour toi mais ceux qui t'attaquent ne valent pas la salive qu'on dépense pour parler d'eux.

Ulysse tousse avant d'avouer :

– Je n'ai rien contre toi, Laure. T'es une fille super cool et en plus, ma passion, c'est le dessin. C'est la seule chose qui m'intéresse vraiment. Mais avec ton projet, je dois me mettre en avant

1. Lire, dans la même série, *Quatre sœurs et un Noël inoubliable*.

94

et ça, c'est impossible. Tu ne vois pas les regards, les murmures... Ça a commencé le premier jour. Quelqu'un a su que mes parents élevaient des cochons et Vernon, dans mon internat, s'est chargé de relayer l'info. Tu as vu ce que ça donne ? Je sors toujours le dernier de la classe en espérant ne croiser personne dans les couloirs.

– Ouais... J'ai vu. Mais si tu passes ton temps à baisser la tête sur ta feuille, comment tu vas observer des trucs à dessiner ? Tu feras comment pour mettre ton monde en images ?

Ulysse soupire longuement.

– Tu habites où exactement ? me demande-t-il. Si tu es ok, je viens demain aprèm.

Je me dépêche de lui communiquer mon adresse et je lui fais promettre de tenir son engagement.

J'ai à peine raccroché que des cris retentissent dans la chambre de Luna.

J'arrive en même temps que Lou pour constater un peu tard que le silence absolu de notre petite sœur était inquiétant à juste titre.

En effet, elle est par terre, recouverte par l'un des voilages de sa chambre qui s'est déchiré net en emportant avec lui la tringle en bois accrochée au mur.

– Mais qu'est-ce que tu fais enroulée dans tes rideaux? crie Lou.

Le tsunami est immédiat. Luna se met à pleurer à gros sanglots.

– J'ai cassééé le taaalon de la chaus-
sure de maaaman et comme je ne pouvais pluus jouer avec ses affaires alors j'ai
préférééé jouer à princesse Alexandraaa
se maarie avec les riiideaux de ma
chambre !

– Les escarpins verts de maman sont
morts, confirme Lisa. En plus, ce sont
ses préférés !

Évidemment, les pleurs de Luna
redoublent. Quand le téléphone sonne,
c'est la panique.

– Les Steph au carré ! s'exclame Lou.
Faites-la taire !

Immédiatement, Lisa bâillonne Luna
mais notre petite sœur comprend vite
qu'elle doit jouer la comédie et Lisa la
relâche.

– Je ne pleure même pas, explique-t-elle
en reniflant toutes les deux secondes. On
va regarder *Princesse Alexandra* parce que
j'ai été très très sage.

Nos parents semblent rassurés et lorsque Lou raccroche, Luna reprend immédiatement son rôle de sirène.

C'est finalement tatie Caro qui nous sauve. Elle passe vers 18 heures, console Luna avec ses fameux cookies, raccommode le voilage et remet la tringle en place. Par contre, l'escarpin de maman est définitivement hors d'usage malgré la tentative de Luna d'utiliser son bâton de colle pour le réparer.

Quand notre tante repart, elle laisse quatre L super détendues.

Enfin… presque.

Trois d'entre elles doivent quand même subir *Princesse Alexandra* et, comme dit Lisa, quelle cruche celle-là !

Deux journalistes pour une interview

— Je vous ai préparé un super petit-déjeuner !

C'est sur ces mots que Lou, Lisa et moi, nous sommes réveillées. Luna est passée dans nos chambres en allumant la lumière. En constatant qu'il est 7 h 45, j'ai juste envie de l'étouffer avec ma couette !

— C'est des cookies chauds avec du lait chaud et du pain chaud aussi.

Le mot « chaud » nous fait exactement le même effet à toutes les trois.

On se précipite à la cuisine, persua-
dées d'y voir un début d'incendie !

Luna a bien sorti une poêle et une cas-
serole comme on le craignait, elle a mis
à chauffer, dans l'une, les cookies de la
veille et, dans l'autre, plus de deux litres
de lait. Le grille-pain, quant à lui, commence à fumer puisqu'elle l'a réglé à la
puissance maximum.

Mais malgré le lait qui déborde et le
pain noirci, on évite le pire et il nous reste
quatre cookies bien durs à grignoter.

– On ne dira pas aux Steph au carré la
somme de bêtises que tu viens de faire,
lui explique calmement Lou. Mais je te
préviens, si tu retouches à la gazinière,
au four ou à quoi que ce soit qui t'est
interdit, ça va barder pour toi !

Les yeux de Luna se remplissent de
larmes. Pour se faire pardonner, elle
nous distribue des « psotites » avec des
tonnes de cœurs dessus.

Vers le milieu de la matinée, le silence est total dans l'appartement et Lou, inquiète, sort de sa chambre pour se précipiter dans celle de Luna. Comme elle n'y est pas, je la suis vers celle de Lisa.

– Heureusement que j'ai laissé tomber le projet de baby-sitting, m'avoue-t-elle dans le couloir. Je péterais un plomb avec plusieurs Luna à la fois !

Nos deux petites sœurs sont penchées sur le bureau, aussi concentrées l'une que l'autre.

– On fabrique des cartes de journalistes, nous explique Lisa. On a décidé de travailler dans la presse, Luna et moi. Comme Laure au collège.

– Cool, commente Lou en s'éloignant, on va être tranquilles un moment.

Grave erreur d'appréciation ! Il existe aussi des journalistes « d'investigation ».

C'est malheureusement ce que comptent devenir mes deux petites sœurs... qui s'installent sur mon lit pour me raconter leur projet en détail.

– Alors, tu vois, on va enquêter dans le quartier mais, pour le premier journal, on veut commencer par la famille, m'explique Lisa qui a épinglé sa carte de journaliste sur son pull.

– Oui, et on va vous poser plein de questions, ajoute Luna.

– On cherche un titre et on n'a pas d'idées, insiste Lisa.

– Si, moi je veux *Le journal de Luna et Lisa*, mais elle n'est pas d'accord !

– *Les nouvelles des deux L* ? je propose. Qu'est-ce que vous en pensez ?

– C'est trop géniaaal ! crie Lisa enthousiaste. Viens Luna, on fait déjà la couv !

Mes sœurs décollent enfin de mon lit et je peux me concentrer sur les dernières vignettes de mon strip. Grâce à mon idée de titre, on a une paix royale jusqu'au déjeuner.

102

À quatorze heures tapantes, Ulysse sonne à la porte. Les deux « journalistes » se précipitent pour ouvrir.

– Bonjour, déclarent-elles, soudain timides devant l'inconnu.

– Rentre, Ulysse ! je crie en m'approchant. Je te présente mes petites sœurs.

– Salut ! déclare Ulysse en souriant. Vous êtes aussi jolies que votre grande sœur !

On est trois à rougir de plaisir et Lou, qui nous rejoint, s'exclame :

– Et tu n'as pas vu leur sœur aînée !

Ulysse se met à rire tandis que Lou lui fait la bise. Je l'entraîne ensuite vers mon bureau pour échapper aux bavardages de Lisa et Luna.

– Voilà où j'en suis de mon strip, je lui explique en montrant les huit vignettes que j'ai réalisées.

On y voit les silhouettes de deux amies pour la vie regarder les listes de classe affichées le jour de la rentrée, puis un océan de larmes couler sur les marches du collège. Dans les six vignettes suivantes, je raconte comment le duo souffre de la séparation mais finit par se retrouver.

– C'est toi, là ? demande Ulysse en désignant la petite brune qui pleure à chaudes larmes sur la deuxième vignette. J'adore le torrent de larmes !

On commente la planche et Ulysse me donne des idées pour améliorer la fin du strip. Il efface et corrige en quelques coups de crayon mes imperfections et j'avoue que je reste scotchée sur mon siège.

– C'est énorme ce que tu arrives à faire ! je lâche admirative. T'es un génie du dessin !

– Arrête, je vais rougir, lâche Ulysse sans lever les yeux de la feuille. Je ne suis plus habitué aux compliments vu que je n'en entends plus depuis mon arrivée en cinquième.

– Au fait, pourquoi es-tu venu dans notre collège cette année ? Tu étais où avant ?

– En Champagne, dans la ville la plus proche de l'endroit où j'habite. Je faisais près d'une heure de bus matin et soir pour aller en cours et en revenir. Mes parents étant super occupés à cause de leur exploitation, impossible qu'ils me véhiculent. C'était crevant. On s'est mis d'accord sur cette solution, plus simple pour tous. Je vais au collège ici, à Paris, dans le quartier où habite le frère de mon père. Je rentre chez moi une fois par mois et pendant les vacances. Le reste du temps, je passe les week-ends chez mon oncle... sauf en ce moment. Il est parti en Thaïlande pour son travail.

Pendant ses explications, Ulysse a affiné les vignettes 7 et 8 et il commence à ajouter un peu de couleurs.

– C'est pour une « interviouve » s'il vous plaît.

Luna vient d'entrer dans ma chambre. Elle a carrément collé sa carte de journaliste en bandeau sur son front, à la manière du diadème de princesse Alexandra.

– Nous sommes deux journalistes de presse écrite et nous souhaitons vous poser quelques questions, lance Lisa qui la suit de près.

– Notre journal, c'est *Les nouvelles des deux L*, ajoute Luna. Tu veux voir la couv? Je te la montre!

– Euh, tu es un VRAI dessinateur ? demande Lisa timidement en regardant travailler Ulysse.

– À mi-temps seulement, répond-il en levant les yeux de sa feuille. Je suis aussi collégien il paraît.

– La voilàààà ! crie Luna en brandissant sa « couv ».

Sa carte de journaliste lui tombe à moitié dans les yeux mais elle n'a pas l'air gênée.

– Vous voulez que j'ajoute un petit dessin ? propose Ulysse qui sourit devant leur œuvre.

– Ouiiii ! crie Luna. Moi je voudrais princesse Alexandraaa !

– N'importe quoi! crie Lisa. Tu n'as qu'à nous dessiner puisqu'on est les deux L.

Mes sœurs prennent la pose tandis qu'Ulysse s'exécute. Lisa en profite pour réaliser son « interviouve ». Après deux questions sur le collège, Ulysse finit par déclarer qu'il vit dans une ferme. Erreur fatale.

Lisa et Luna sont en transe, je ne suis pas sûre qu'elles le laissent partir. Depuis notre séjour à Peyrore, dans la ferme de Carine, David et Jade, mes sœurs rêvent d'un nouveau « retour à la terre ».

– Et tu as combien de biquettes, toi? demande Luna.

– Vous avez des pruniers, aussi? lance Lisa.

– Mes parents élèvent des cochons. Ils ont quelques vaches. Et ma mère fait du fromage.

– Miam! je lâche envieuse. Je me souviens encore des faisselles qu'on dégustait à la laiterie.

– C'est vrai que je mange super bien chez moi! explique Ulysse. Tout est fait maison.

Lisa note consciencieusement les réponses d'Ulysse qui finit par lui tendre une couverture avec deux mini portraits. Il a représenté une Luna pirate, sa carte de journaliste en cache-œil, et une Lisa super concentrée sur son carnet de notes. Les deux L, ravies, repartent en sautillant, non sans nous avoir promis le premier numéro des *nouvelles des deux L*, « gratuit, juste pour nous ».

Lorsqu'on se retrouve seuls Ulysse et moi, je demande à voir son strip.

– Euh... J'ai abandonné l'idée du nouveau au collège, m'avoue-t-il. Trop perso.

Il me tend sa BD qui est archifinie. Il raconte la naissance du projet presse. On y voit une prof enthousiaste, des élèves épuisés d'avance, puis en réunion au CDI. Dans les trois dernières vignettes, il a représenté les votes et la

terrible déception d'une « petite bru-
nette » au deuxième rang... qui avait
une super idée !

– J'adore, j'adore, j'adore ! je lance.
TOUTE la classe va changer d'avis
quand on va leur présenter.

Ulysse ne semble pas partager cette
idée mais il sourit devant mon enthousiasme. Avant de partir, il promet à Luna
un dessin rien que pour elle de princesse Alexandra s'occupant de cochons.
Radieuse, elle lui assure en retour un
« psotite super bien décoré ».

Ulysse part juste avant le retour
des Steph au carré qui ont une heure
d'avance sur leur timing. Luna se jette
dans les bras de maman avec un amour...
à la hauteur de la nouvelle qu'elle doit lui
annoncer à propos de son escarpin vert.

Après avoir détaillé notre week-end par
le menu, je m'échappe dans ma chambre
pour jeter un œil à mon portable.

Une surprise m'attend.

Bien noté mon nouveau num? Inquiet de ne pas avoir de tes news. Tu me manques.

J'ai l'impression d'être dans un ascenseur avec Alex.

Là, je m'approche du sommet du gratte-cicl.

Et ça fait battre mon cœur.

À bas les diktats !

— C'est la cata. L'horreur totale. Je vais me jeter dans le vide-ordures de mon immeuble et je te demande solennellement de ne pas venir me récupérer.

Justine a l'air sinistre ce matin. La semaine démarre super mal pour elle.

J'essaie de la rassurer.

— C'est fini. De toute façon, je ne faisais pas le poids.

Sur la route du collège, mon amie a croisé Morgan. Il tenait la main d'une fille de troisième.

– En plus, tu as vu, quand je ne me lisse pas les cheveux, je ressemble à un caniche. Comment veux-tu que j'aie la moindre chance avec le seul BG du collège ?

– Mais où est Kim, au fait ? je demande, étonnée d'être seule à consoler Justine.

– Oh, ne m'en parle pas ! Elle est avec la nouvelle qui est arrivée dans notre classe la semaine dernière. Elle ne la lâche pas d'une semelle. Elle trouve qu'elle a un « staïïïle de folaïe ».

– Grave ! je lance pour faire rire ma copine.

Et ça marche ! Elle rejoint son rang en souriant… un peu.

Je cherche Ulysse des yeux tout en suivant ma classe dans l'escalier. Je constate qu'il est absent ce matin et j'ai un pincement au cœur. Nous devions présenter nos strips aujourd'hui.

– Dan, puisque tu es interne, tu te chargeras de faire passer les cours à Ulysse s'il te plaît ? Il sera absent cette semaine, annonce Mme Tercieux après l'appel.

Je suis horriblement déçue. Très vite, je m'inquiète. Ulysse ne m'a pas abandonnée volontairement, il a un problème. La remarque de Dan, juste derrière moi, me fait sursauter.

– Je me boucherai le nez pour aller dans sa chambre, chuchote ce débile. Et je désinfecterai mes cours après usage.

Je le regarde, en colère. Dan me toise, persuadé que je vais rire puisqu'il est si drôle. Malheureusement, je n'ai pas le temps de lui répondre, la prof m'ordonne de me retourner et elle nous met au travail.

– Je vous ai apporté des magazines pour ados qui traitent de sport, musique, cinéma, mode, sujets de société... Je vais vous demander, par petits groupes, de choisir un article que vous avez aimé pour en faire une présentation pas-sion-nan-te. Je vous laisse vingt minutes avant de faire passer les premiers volontaires.

Je me retrouve avec Héloïse et Thomas, son voisin en cours. Très vite, notre choix s'oriente sur un article qui parle des diktats de la mode au collège.

Mon esprit s'envole vers Ulysse qui est tout sauf intéressé par son look. Il n'a pas les dernières baskets à la mode ou le sweat de marque « trop cool ». Il porte des pantalons et des chemises un peu démodés, c'est vrai... Surtout face à un Vernon ou un Johan qui paradent avec des looks de soi-disant rappeurs. C'est tellement facile pour eux de pointer du doigt Ulysse et ses différences.

J'aide mon groupe à rédiger une présentation et je me porte volontaire pour m'exprimer devant la classe.

Au moment où je prends la parole, Dan sourit en mode « je suis irrésistible, n'est-ce pas ? ». Je sais alors de quoi je vais parler, quitte à être hors sujet.

– Avec mon groupe, on a choisi un article sur les diktats de la mode. On a trouvé très intéressant l'éclairage de la journaliste qui se met dans la peau d'une fashionista de notre âge courant après un look parfait pour être habillée comme ses copines…

Des murmures et des rires retentissent dans la classe. Tout le monde a une petite expérience en la matière.

– J'ai envie d'élargir le sujet, je continue, encouragée par les regards intéressés. Être collégien nous impose des règles d'habillement. C'est vrai. On peut décider de les suivre… ou pas. Mais si on résiste, si on n'entre pas dans le moule, il y a un vrai risque. Le risque de se retrouver seul. Mis à l'écart. Au-delà des diktats de la mode, il faut parler de l'indifférence quotidienne qu'on peut subir quand on est différent. Passer ses intercours au CDI pour éviter les réflexions assassines, manger seul à la cantine… Ce sont des moments de grande solitude dans un endroit rempli de gens. Et ça existe, ici et ailleurs.

Je m'arrête de parler parce que mes mains tremblent trop. En fait, j'ai un peu envie de pleurer alors je me dépêche de me rasseoir. Le silence qui suit est impressionnant.

Mme Tercieux, qui était installée à la place d'Ulysse, se lève et écrit « ostracisme » au tableau.

— J'utilise un mot fort, exprès, pour évoquer la notion dont vous a parlé très justement votre camarade. L'ostracisme, c'est la mise en quarantaine, le fait de bannir quelqu'un d'un groupe. Oui, ce phénomène est récurrent dans les micro-sociétés que sont les collèges. Oui, vous devez être vigilants parce que vous êtes les adultes de demain. Laure n'a évoqué personne en particulier mais je sais de qui elle a voulu parler et vous le savez aussi.

Le silence se prolonge. Ulysse est là, invisible.

– Les absents n'ont pas toujours tort, murmure la prof.

C'est au groupe suivant de présenter son article. Héloïse n'arrête pas de lever son pouce dans ma direction pour montrer combien elle m'approuve.

Et elle n'est pas la seule puisque, à la fin du cours, une dizaine d'élèves se réunissent autour du bureau de la prof.

– Vous savez pourquoi Ulysse est absent, madame? je finis par demander, un peu inquiète.

– Raisons familiales… C'est ce qui est écrit sur le mot de l'internat, m'explique-t-elle. Bravo Laure, pour ton intervention. C'était bien dit et courageux de ta part.

— C'est sûr, c'était bien dit ! approuve Noah. Moi, je n'ai pas compris la moitié des mots.

— Le principal c'est que tu aies saisi l'idée, lance Héloïse. C'est nul de rejeter Ulysse.

— C'est vrai que la plupart des élèves de la classe ne lui adressent pas la parole, avoue Thomas. Moi, j'ai dû lui dire deux mots depuis la rentrée.

— En plus, on ne sait pas vraiment pourquoi. Peut-être parce qu'il a tout le temps la tête baissée et qu'il ne sourit jamais. Ça ne nous donne pas envie de lui parler, commente Coraline.

— C'est à double sens ton truc, je rétorque. Si on ne lui parle jamais, il finit par regarder ses pieds. Et tu ne souris pas en regardant tes chaussettes.

La prof nous fait signe qu'il est l'heure d'évacuer sa classe mais elle ajoute :

— Ulysse a un talent incroyable en dessin. Vous devriez reconsidérer le projet que nous a présenté Laure la semaine dernière. On va travailler sur l'hebdo proposé par Dan, mais s'il y a des volontaires, on peut aussi se lancer dans des ateliers strip/scénario BD et fabriquer un journal super étoffé.

Le petit groupe présent approuve l'idée et Héloïse s'écrie :

– Je fais équipe avec toi Laure !

Thomas déclare qu'il est ok lui aussi.

Je crois que je vais avoir une chouette nouvelle à annoncer à Ulysse.

Encore faut-il qu'il revienne ! En imaginant son départ définitif, ma gorge se serre, comme si la balle de ping-pong était de retour.

Dans la matinée, j'arrive à obtenir des nouvelles plus précises. Héloïse est la nièce de la gestionnaire du collège qui connaît bien le directeur de l'internat. J'apprends donc qu'Ulysse est parti précipitamment parce que son père a eu un accident de tracteur.

– Ne t'inquiète pas, ce n'est sûrement pas grave, me rassure Héloïse. Il a dû oublier de mettre son clignotant.

Sa réflexion me prouve qu'elle ne connaît rien à la vie dans une ferme…

Je rentre avec Justine dans le bus. Je m'apprête à lui raconter mon inquiétude à propos d'Ulysse lorsque Morgan apparaît.

Ma copine se statufie.

– Tu respires encore ? je lui chuchote alors que le BG passe devant nous.

– Mffpp mmmfppp ? me demande Justine.

– Je te rappelle que tu n'es pas ventriloque, je lui réponds. Utilise tes lèvres, c'est mieux.

– Je ne peux pas parler trop fort, insiste Justine au creux de mon oreille. Il est avec une fille ?

Je me retourne sans discrétion et elle gémit, comme si je lui avais écrasé le pied.

– Voilà ! Il a vu que tu le regardais, murmure-t-elle.

– C'est toi, la sœur de Yan?

La voix du BG nous fait sursauter Justine et moi. Il s'est levé et il nous fixe. Ma copine reste bouche bée. Sur le moment, elle me fait penser à Sissi, le poisson rouge que j'ai eu quand j'étais petite.

– Ben... ouiiii, répond mon amie. Je suis son frère. Euh non, il est ma sœur.

J'essaie de ne pas rire, mais c'est super dur.

– Tu diras à « ta sœur » Yan que je passerai le voir ce soir, déclare très sérieusement le BG.

– On lui dira, no problemo! je lâche pour sauver ma copine d'une mort subite.

Je descends à l'arrêt avant Justine toujours en apnée à cause du BG juste à côté.

À la maison, j'allume mon portable pour avoir des nouvelles d'Alex, mais c'est un SMS d'Ulysse qui m'attend.

DSL pour mon absence ! Mon père est tombé du tracteur il est à l'hôpital cette semaine. Je rentre d'ici 10 jours mais on présentera notre projet. NO PROBLEMO.

Je lui envoie des smileys qui lancent des bises. Soudain, mon téléphone sonne.

Je ne vérifie pas le numéro, persuadée que Justine, en train de périr à son arrêt de bus, m'appelle au secours.

– Allô Laure, c'est moi Alex…

– Alex ?

– Ta voix me manquait. Je n'aime pas les SMS en fait.

Mon cœur se met en mode « c'est lui que j'aime ». Ses battements réguliers me rappellent que je suis amoureuse.

Grave.

Tous pour un

— Bon, si tu tiens ton crayon comme je tiens une fourche, ça ne marchera pas!

Héloïse rosit de bonheur. Elle vient d'être conseillée par le « king of drawing ».

C'est le nouveau surnom d'Ulysse. Lui et moi, on anime notre deuxième atelier strip sous l'œil attentif de la prof de dessin. Une fois par semaine, entre midi et deux, le groupe strip/presse, composé de huit élèves de notre classe se réunit dans sa salle.

– Ulysse ! rugit Noah en faisant sursauter la prof. Je n'ai rien compris au truc écrit dans la bulle. On dessine le collège dans le fond, là ou non ?

Ulysse soupire puisqu'il a expliqué trois fois à Noah ce qu'il devait réaliser. Ça me fait rire, on dirait un prof !

Je me replonge dans ma vignette tandis que Thomas s'apprête à compléter les bulles que j'ai dessinées. Notre groupe est bruyant mais on s'entend bien.

C'est fou comme le projet presse a changé la 5e3 !

Tout a commencé il y a deux semaines, quand Ulysse est revenu en classe…

Dès le premier cours, Thomas s'est placé à côté de lui dans le rang et lui a demandé comment il allait. J'ai vu Ulysse relever la tête, un peu surpris, et répondre. Son père avait une entorse mais pouvait reprendre le travail.

– C'est vrai qu'on n'est pas obligé de mettre son clignotant quand on conduit un tracteur? a demandé Héloïse.

Là, Ulysse a carrément ouvert de grands yeux. Il avait du mal à suivre.

– J'ai expliqué à Héloïse que, dans un champ, on n'a pas besoin de prévenir les lapins quand on tourne, non? j'ai alors enchaîné.

– C'est sûr! a répondu Ulysse qui devait trouver la conversation surréaliste. Mais mon père conduisait son tracteur sur la route quand il a eu son accident. Parfois, on emprunte des portions de chemin.

On a hoché la tête et on a suivi Mme Tercieux, qui, dès le début du cours, a annoncé la couleur.

– Ulysse, nous sommes ravis de te voir de retour !

Mon voisin de table a sursauté une deuxième fois. La matinée commençait un peu fort pour lui.

– Laure t'attendait impatiemment parce que c'est le moment pour vous de re-présenter vos strips. La classe a très envie de les voir.

Il y a eu des murmures d'approbation et Ulysse m'a jeté un regard désespéré. Je savais qu'il avait peur mais il était hors de question que je le laisse à nouveau s'enfermer dans le silence.

Je l'ai tiré par la manche et il m'a suivie. On a affiché nos deux strips et la prof a permis à chaque rangée de se lever pour les voir de près. Il y a eu des tonnes de commentaires et beaucoup de questions.

– Alors ? Pensez-vous que ce projet puisse coexister avec celui du groupe de Dan et enrichir notre hebdo ? a demandé Mme Tercieux.

La réponse a été très claire. Tout le monde a applaudi. Il y a même eu des sifflets d'encouragement. Ulysse avait l'air un peu tendu mais, quand on est sortis, il m'a tapé dans la main en souriant. C'était la preuve qu'il était aussi heureux que moi.

Depuis, on ne se quitte plus, ou presque. Héloïse n'est jamais très loin. Et comme Thomas la suit à la trace, on est souvent tous ensemble.

En sortant de la salle d'arts plastiques à 13 heures, on se dépêche de rejoindre la cantine où on a juste vingt minutes pour manger. On croise Vernon et Johan qui zonent dans un coin de la cour.

– Ne cours pas trop vite, le goret ! crie l'un d'eux. Tu vas puer encore plus fort si tu transpires !

Ulysse s'arrête. On se retourne en même temps que lui.

– Mon prénom, c'est Ulysse! déclare-t-il assez fort.

– Et il sent super bon, ajoute Héloïse.

– Alors que toi, tu pues la cruauté! lance Thomas à un Vernon hilare.

Les insultes pleuvent évidemment mais notre groupe repart. Ulysse n'en a pas fini avec ce genre de remarques mais il n'est plus seul et c'est l'essentiel.

À 15 heures, en sortant, on fait une pause sur les marches, Héloïse, Thomas et moi. J'attends Justine qui arrive enfin avec Kim… et Ulysse.

– J'ai une « permission » exceptionnelle, nous explique ce dernier. Mon oncle vient me chercher pour fêter son anniversaire.

– Cool! je m'exclame. Reste avec nous pour l'attendre.

– On a décidé de zoner, comme Vernon et Johan. On est des rebelles nous aussi! plaisante Thomas.

Héloïse raconte une anecdote à leur propos et je questionne discrètement Justine à propos de Kim.

– Vous vous reparlez ? je lui chuchote.

– Ben oui ! Elle a décidé que la nouvelle qui a du staïïïle a aussi un QI de ver de terre, comme Vernon.

– Grave ! approuve Kim qui a entendu notre échange. Et puis j'en ai assez de ces filles qui imposent leur loi. Habille-toi comme ça, c'est trop coool, ne porte pas ce truc, c'est naaaze !

Héloïse applaudit et parle de l'article qu'on a commenté en cours sur les diktats de la mode.

– C'est ouf de voir qu'au collège, on se sent parfois obligé de suivre les autres. C'est super dur de résister.

Ulysse soupire. Il en connaît un rayon de ce côté-là.

– Ouais, c'est injuste parce que, parfois, on peut louper des amitiés géniales, approuve Kim.

J'applaudis à mon tour en réalisant que je l'avais cataloguée « madame Gravosse » à la rentrée.

– Vous savez ce qu'on devrait faire au lieu d'en parler entre nous ? Le crier à voix haute ! lance Justine.

– Mais crier quoi ? demande Ulysse inquiet dès qu'il s'agit de se faire remarquer.

– Ben… Crier par exemple : c'est injuste quand au lieu d'écouter ta voisine de classe, tu la clashes parce qu'elle a des vêtements trop nuls, insiste Justine.

– Ou : c'est injuste quand au lieu d'accueillir un nouveau dans ta classe, tu décides qu'il ne fera pas partie de ta bande, j'ajoute en hochant la tête.

– Et si on en faisait une rubrique dans notre journal du web? s'exclame Kim. On ouvre une page dédiée où les collégiens viendront poster leurs témoignages de *C'est injuste*.

– Génial! commente Thomas enthousiaste.

– Grave! on crie en même temps, Justine et moi.

On décide d'échanger nos 06 pour réfléchir à cette idée. Ulysse n'a toujours pas de portable mais il nous donne le numéro de celui de son oncle pour qu'on puisse le joindre ce week-end.

Quand je monte dans le bus avec Justine, elle m'explique que Morgan s'est bien rendu chez elle…

– C'est moi qui lui ai ouvert, j'ai failli m'évanouir.

– Tu aurais dû, il t'aurait fait du bouche-à-bouche, je lâche en souriant.

– Arrête, c'est pas drôle ! continue Justine. Après il est parti s'enfermer dans la chambre avec Yan. Les gros gamers de base, quoi !

– Si j'ai bien compris, c'est injuste quand le BG du collège préfère jouer avec le grand frère au lieu de regarder la petite sœur.

Justine me donne un coup de coude.

– Ça ne change rien à mes sentiments, chuchote-t-elle solennelle. Morgan finira bien par me voir telle que je suis : moitié caniche, moitié super canon.

Elle prend une pose de mannequin qui me fait éclater de rire.

Ce qui m'attend à la maison est moins drôle. Lisa et Luna sont toujours des reporters de choc… mais elles ont tendance à prendre des collaborateurs contre leur gré.

– Pour l'article *Un collégien nous parle de sa vie*, il faut que tu nous dessines Ulysse, m'explique très sérieusement Lisa.

– Moi, je voudrais que tu me dessines un « sprit » avec princesse Alexandra ! pleurniche Luna de mauvaise humeur.

– Ouh là, on se calme ! je lance, exaspérée. D'abord, je vous signale que votre journal s'appelle *Les nouvelles des deux L*, pas des trois L. Ensuite, je rentre d'une journée de cours, laissez-moi respirer.

– Oui mais ce serait bien que tu relises l'article page 9 parce qu'il parle des sprits, insiste Lisa.

– D'abord, on dit des « strips » ! je crie en me réfugiant dans ma chambre.

Je ferme soigneusement ma porte avant de m'allonger sur mon lit. Je sors mon portable. Alex m'a encore envoyé un smiley qui fait une bise avec un cœur. Waouh !

Notre dernière conversation au téléphone était géniale ! Il a de nouveaux amis. Il participe aussi à un projet presse dans son collège. On a des tonnes de points en commun. D'ailleurs notre date d'anniversaire est la même à une semaine près. Du coup, je lui prépare une surprise. J'ai décidé de dessiner un strip sur notre rencontre de l'été à la colo. Comment parler d'un moment inoubliable en huit vignettes ? Je me creuse la tête depuis une semaine…

Mon portable sonne. C'est un SMS d'Héloïse.

Le projet C'est injuste est en cours ! Je viens d'en parler à ma tante qui trouve l'idée au top !

J'envoie un smiley qui sourit de toutes ses dents. La tante d'Héloïse connaît plein de profs, elle pourra appuyer notre idée.

Ensuite, c'est au tour de Kim de m'envoyer un SMS.

C'est injuste qd on se rend cpte qu'on a perdu 2 mois d'amitié avec une vraie copine.

Je lui réponds :

C'est injuste qd on se rend cpte qu'on a jugé trop rapidement une fille super cool.

Je m'apprête à prévenir Justine que je suis désormais AUSSI la copine de Kim quand je reçois cinq messages d'affilée !

Morgan est dvt ma porte, il attend mon frère. Énoooorme.

Yan est en retard, je ne sais plus quoi dire au BG, t'as une idée ?

Trop tard ! Morgan est parti sniiiif !

Comment faire pour être à la fois une fille super canon avec un sens de la répartie de ouf ?

Laisse tomber, je retourne ds ma poubelle !

J'envoie des tonnes de cœurs à Justine. Juste pour lui dire que je l'aime telle qu'elle est.

Ensuite, je reprends mon strip.

J'adore avoir des tonnes de projets. Surtout quand je les partage avec des tonnes d'amis !

Une vraie équipe

– Vous savez que le but d'un week-end, c'est de se RE-PO-SER?

Mon père a crié le dernier mot en s'affalant sur le canapé du salon.

Depuis ce matin, la maison est en ébullition. Comme maman est en formation pour la journée, notre père doit assurer pour deux.

Il a commencé par déposer Lou super tôt à son centre d'examen car elle passe le code.

Ensuite, Lisa se plaignait d'avoir mal à la gorge donc il a fait un détour par son cabinet avec elle pour l'examiner. Pendant que je gardais Luna, elle a éternué et s'est mise à saigner du nez. J'ai un peu paniqué et j'ai téléphoné à mon père.

Il est revenu en quatrième vitesse mais j'avais réussi à enrayer le saignement en pinçant la narine de ma petite sœur qui a commencé à pleurer parce que je lui faisais mal. Depuis, elle n'a plus arrêté...

Bref, quand Lou est revenue en hurlant « J'AI LE CODE », on n'a pas vraiment manifesté une grande joie.

Lisa a juste déclaré avec une voix de malade :

– Ce sera un des gros titres de la couv pour notre journal.

– Ouiiii, a renchéri Luna en pleurnichant. Mais on parlera aussiii de mon nez ?

C'est quand j'ai expliqué à mon père que j'avais invité deux filles de plus pour le déjeuner qu'il s'est écroulé sur le canapé. Mais comme il est adorable, il a fini par ajouter des crudités dans la salade.

– Devine ce que je viens de recevoir? me demande Kim dès que je lui ouvre la porte.

– Je ne sais pas. Un mot d'amour de Vernon ET Johan à la fois?

– Ah ah! Pas du tout! explique Justine. Le premier billet *C'est injuste*, et c'est Ulysse qui l'a écrit.

On se retrouve dans ma chambre et Kim me tend la feuille qu'elle a imprimée.

Le texte s'intitule : *C'est injuste* quand on se sent seul dans un collège de 450 élèves. En le parcourant, les larmes me montent aux yeux.

– On a réagi comme toi, murmure Justine.

– On doit ABSOLUMENT faire accepter cette rubrique, rien que pour les mots d'Ulysse! Vous êtes bien d'accord, les filles? insiste Kim.

Justine et moi, on secoue la tête avec force.

– C'est moi qui écrirai le prochain billet, il s'intitulera : *C'est injuste* quand il y a un seul BG dans un collège de 450 élèves, continue Kim pour détendre l'atmosphère.

– Tu parles de MON Morgan ? s'étrangle Justine.

– Pas du tout ! proteste Kim. Moi c'est Driss qui me fait rêver…

– Driss de la 4ᵉ4 ? je demande. Tu sais qu'il est interne ? Tu pourrais avoir des infos par Ulysse.

Kim semble tout excitée par ce scoop et on se met à parler en même temps jusqu'à ce que Lisa nous coupe d'une voix de mourante :

– Vous voulez que je vous « inter-viouve » pour notre journal ?

– Mes deux sœurs se prennent pour des journalistes ! j'explique en levant les yeux au ciel.

– On en est à la page 24 ! déclare Luna, à nouveau de bonne humeur. Comme 4 fois 4 !

– Elle apprend les tables de multiplication ? s'étonne Justine.

– Laisse tomber ! lâche Lisa en soufflant. Elle fait semblant. En plus, on en est à la page 25 depuis hier.

– C'est du lourd votre journal ! Vous n'écrivez pas plutôt un dictionnaire ? demande Kim en riant.

Mes copines répondent patiemment aux questions de mes deux sœurs qui les inscrivent sur la liste des abonnés aux *Nouvelles des deux L* ! Quand elles repartent en fin d'après-midi, maman revient et, comme par magie, la maison retrouve tout son calme…

Ulysse est en Champagne ce week-end et il m'inonde de photos de sa ferme avec son nouveau portable. Comme je suis une sœur absolument géniale, je les imprime grâce à l'ordi de Lou et je les apporte aux petites L pour illustrer leur page consacrée à Ulysse. Je passe même une heure à dessiner quelques animaux avec elles.

Je ne le regrette pas puisqu'en fin de soirée, Luna me décerne la médaille de la sœur la plus géniale du monde, sous forme de « psotite avec cœurs ».

Ce matin, dans la cour du collège, Kim et Justine sont surexcitées. Leur chronique web *C'est injuste* a été acceptée par les profs dès lundi. Depuis, elles croulent sous les propositions.

– La prof souhaite qu'on accueille un billet par jour, précise Kim. Et qu'une équipe de troisième recueille les textes et les fasse valider avant parution.

– Vous imaginez si Morgan fait partie de cette équipe ? ajoute Justine qui se tord les mains de bonheur.

On lève les yeux au ciel en chœur.

– Depuis que le billet d'Ulysse est paru dans notre journal du web, TOUTE la classe veut écrire, nous explique Kim. Certains élèves délirent ! Comme avec ce billet : *C'est injuste* quand le pot de Nutella est fini et qu'on s'en rend compte au moment où on s'apprête à tremper sa cuillère dedans.

– C'est l'œuvre de Geoffroy, le comique de la 5ᵉ5, mais il y a aussi des textes super intéressants, précise Justine.

– C'est drôle de savoir que tout le monde a lu mon billet, déclare soudain Ulysse. Je réalise seulement à quel point je me suis exposé !

– Tu sais, en dessinant, tu te dévoiles aussi. Il n'y a pas que les mots pour transmettre des idées, je rétorque.

– Grave ! lâche Ulysse.

Je souris en pensant au groupe super cool qu'on est en train de former mes amis et moi. Quand la sonnerie retentit, on rejoint le cours de Mme Tercieux. Elle n'est pas seule dans la salle et on fronce les sourcils en s'asseyant.

– Je vous présente Marion Jacques, une journaliste qui travaille pour la presse. Elle nous fait le plaisir de venir au collège toute la journée nous parler de son métier et répondre à vos questions. Je précise qu'elle a jeté un œil sur notre hebdo.

– Commençons par là d'ailleurs ! lance la journaliste en souriant. Votre journal est pertinent, vraiment ! Des interviews de profs rondement menées, des enquêtes de terrain, un sondage amusant…

Après une pause, elle saisit notre dernier hebdo et brandit… notre strip !

– Et il y a un plus avec ces strips très réussis. Une façon originale d'évoquer le quotidien. Bravo! La relève est assurée. Ça me fait chaud au cœur de savoir que des jeunes collégiens sont capables à leur échelle d'avoir un regard sur leur actu.

Notre prof fait un sourire de trois mètres de large. Elle voulait nous transformer en reporters et elle réalise qu'une journaliste vient de nous « accréditer ». Elle lève le doigt comme une élève pour interrompre Marion Jacques.

– Justement ! déclare-t-elle avec enthousiasme, comme mes élèves ont été très performants, j'ai l'intention de leur proposer d'exposer leurs travaux au CDI. La prof de français des 5e5 va faire de même avec ses élèves. Les familles pourront ainsi admirer leurs réalisations.

On se met tous à chuchoter. Exposer notre travail nous rend un peu nerveux. La suite me fait carrément stresser.

– Laure, Ulysse et le petit groupe de dessinateurs de presse, j'ai pensé à vous pour réaliser des affiches et des panneaux d'exposition. Vous avez du talent et j'ai envie de m'en servir pour mettre en avant les travaux de la classe !

Ulysse relève la tête. Il était encore en train de dessiner. Il montre sa feuille en souriant. Il a déjà imaginé une affiche annonçant notre future expo.

Un titre s'étale en pleine page « Des nouvelles en direct du collège par les 5e3 et les 5e5 » avec des élèves en train de gravir les grosses lettres. Des journaux tombent du ciel et, dans un angle, Mme Tercieux lève la tête et regarde le spectacle, l'air satisfaite.

– Waouh! lance la journaliste. Rendez-vous dans quelques années jeune homme! La presse te tend les bras.

Ulysse rougit et les élèves applaudissent son brouillon que la prof a affiché au tableau. On est super fiers de lui!

En sortant du cours, la moitié de la classe veut devenir journaliste. Marion Jacques a répondu à des tonnes de questions et son enthousiasme nous a motivés.

– Je me verrais bien reporter parcourant le monde! déclare Thomas.

– Moi, j'adorerais écrire des articles engagés dénonçant les injustices, lance Héloïse. Je n'aurais peur de personne et je n'hésiterais pas à dire la vérité.

– Et tu volerais haut dans le ciel, Superwoman, lâche Noah moqueur.

Héloïse hausse les épaules et s'indigne :
— Il n'y a pas que dans les films qu'on peut se battre pour des idées !

— C'est injuste quand les gens s'imaginent qu'on est incapables d'atteindre nos rêves, je conclus.

Justement Justine traverse la cour en petites foulées. Elle court vers le kiosque puisque c'est le jour de Morgan. Ma copine va toucher son rêve du bout des yeux… en rêvant de l'atteindre vraiment !

Une expo surexposée !

Le CDI arrive à quasi-saturation. Je n'y ai jamais vu autant de personnes à la fois.

– Je ne pensais pas que toutes les familles ou presque seraient au rendez-vous, murmure Mme Tercieux en passant à côté de nous.

– Normal madame ! lance Noah de sa grosse voix. La pub donne trop envie !

On se tourne vers l'affiche qu'a réalisée Ulysse pour l'expo. Elle est sur tous les murs du collège et chez les commerçants du quartier.

Elle ressemble beaucoup au brouillon qu'il nous a montré en cours il y a un mois, mais en cent fois plus belle. Même la principale du collège est tombée en admiration devant.

– Grave ! lance Kim qui nous rejoint. Elle est super cool ton affiche, Ulysse ! On est fans de toi en 5e4.

Kim a des raisons très personnelles d'être particulièrement fan d'Ulysse. La semaine dernière, il l'a mise en contact avec Driss de la 4e4. Depuis, ils échangent des SMS. Affaire à suivre !

Ulysse est trop occupé à filmer l'expo sur son portable pour répondre. Son oncle est là mais ses parents n'ont pas pu se déplacer et il veut leur envoyer des images.

– Laure ! Coucououou ! On est làààààà !

Les pom-pom girls sont de retour... accompagnées par les Steph au carré. Pour ne pas louper l'expo, ils sont sortis plus tôt, l'un de son cabinet, l'autre de son service à la clinique. Ils savent que cette expo compte pour moi et à quel point j'y ai consacré du temps avec Ulysse et quelques volontaires. Ça me fait très plaisir de les voir même si mes deux sœurs ne sont pas franchement discrètes.

– Tu me montres la journaliiiiste ? crie une Lisa surexcitée. J'ai apporté *Les nouvelles des deux L* !

Depuis que j'ai raconté la venue de Marion Jacques dans notre classe, ma sœur rêve de la rencontrer.

– Alors, elle est où ? insiste Luna qui, pour l'occasion, a remis sa carte de journaliste en diadème sur son front.

Je demande à mes sœurs de se calmer tout en leur désignant la journaliste tandis que les Steph au carré s'extasient devant les panneaux. Évidemment, ils passent plus de temps devant celui consacré à l'élaboration des strips. Ulysse vient les saluer et se charge de leur donner des explications.

Très vite, Lisa et Luna se lancent dans une grande discussion avec… Marion Jacques !

– C'est très intéressant votre travail ! commente celle-ci en feuilletant l'encyclopédie de mes sœurs. C'est un peu épais pour du format presse, mais les articles ont l'air passionnants !

– Vous pensez qu'on pourrait le publier ? demande Lisa qui rosit de bonheur.

– Vous êtes sur la bonne voie les...
deux L? C'est bien vous? Il faut revenir
me voir dans quelques années pour un
stage de journaliste, je vous accueillerai
avec plaisir.

Je souris à Marion en lui expliquant
que je suis la troisième L. C'est le
moment que choisit Lou pour nous
rejoindre, tout essoufflée. Je la présente
à la journaliste comme la quatrième L.

– Les quatre L, voilà un bien joli
titre pour une magnifique brochette de
sœurs! s'exclame celle-ci avant d'être
accaparée par la principale qui vient
d'arriver.

– Sorry pour le retard! me lance Lou.
Je sors d'un cours de conduite. Un peu
plus et je ne pouvais pas rentrer. L'expo a
un succès dingue!

J'acquiesce en expliquant à Lou combien je suis contente qu'elle soit venue
la voir. On est obligées de se taire pendant le discours de la principale.

Elle félicite les profs et les deux classes pour « le travail considérable accompli ». Justine en profite pour me rejoindre et chuchoter :

– On pourrait lui glisser : c'est injuste de séparer deux amies pour la vie en les plaçant dans deux classes différentes.

Je serre la main de mon amie pour la vie en hochant la tête. Kim et Ulysse se placent à côté de nous. Héloïse et Thomas s'approchent. On se regarde, Justine et moi.

– Tu crois qu'on aurait eu autant de nouveaux amis si on était restées toutes les deux ensemble ? je lui murmure.

Elle me fait un signe négatif et on sourit. Parfois une injustice se transforme en bonus. Mais il faut un peu de temps pour le réaliser.

Après le discours de la principale, le CDI se vide doucement. Alors que Justine s'apprête à partir, Morgan fait son apparition. Il traverse le CDI, frôle ma copine qui se statufie et rejoint Ulysse avec qui il discute. Après un check, ils se séparent et le BG quitte la salle.

– Je rêve ou Ulysse est pote avec Morgan ? me chuchote Justine qui respire à nouveau.

Comme je fais signe que je n'en sais rien, on se dirige vers le « king of drawing » et Justine le questionne :

– Qu'est-ce qu'il voulait Morgan ? Tu le connais ? Il n'est pas interne ? Comment tu l'as rencontré ?

– Ouh là, on se calme ! sourit Ulysse. On est juste inscrits au club d'échecs le jeudi soir tous les deux.

Justine ouvre de grands yeux avant de crier :

– Mais je ne sais pas jouer aux échecs, moi !

Elle se tord les mains comme à chaque fois qu'elle stresse. Ensuite, elle attrape le bras d'Ulysse.

– J'ai une idée, lance-t-elle. Tu vas m'apprendre à jouer aux échecs, d'accord ? Ensuite, je m'inscrirai au club moi aussi.

Ulysse essaie de protester mais il ne connaît pas Justine. Il ne s'en débarrassera pas comme ça !

Les Steph au carré lancent le signal départ et je suis obligée de les suivre. Dans les couloirs qui nous mènent à la sortie, Lou joue l'ancienne combattante en nous montrant les classes où elle était

« jeune collégienne ». Ma famille me félicite pour le travail accompli et je me sens très fière.

— Attendez, vous avez oublié un truc super important! crie Ulysse qui nous rattrape à la sortie.

Il nous tend *Les nouvelles des deux L*, que Lisa a tout simplement laissé sur une table au CDI.

— 63 pages, c'est du sérieux! commente Ulysse.

— On n'a pas tout à fait fini, déclare Lisa très sérieusement.

— Oui, c'est du boulot d'être journaliste, affirme Luna en repoussant sa carte qui lui cache les yeux.

On se met à rire.

— J'adore tes sœurs! me lâche Ulysse avant de partir. Je veux bien être un U de temps en temps au milieu des quatre L.

Je lui tape dans la main avant de rejoindre ma famille.

Une fois à la maison, je me précipite sur mon portable.

J'ai cinq appels en absence. Alex a cherché à me joindre.

Mon cœur bondit dans ma poitrine et je ne prends pas le temps d'enlever mon blouson avant de l'appeler.

– Allô Laure ?

Sa voix me fait toujours le même effet.

– Qu'est-ce qui t'arrive ? je demande inquiète. Tu as essayé de me joindre ?

– Ben… Je voulais te remercier de vive voix, lâche-t-il avec un sourire dans la voix. J'ai reçu ton super cadeau d'anniversaire hier soir. C'est trop cool, j'adore ! Tu es vraiment douée en dessin.

Je repense au strip que j'ai réalisé pour lui.

En huit vignettes, j'ai dessiné l'essentiel : la première apparition d'Alex dans le réfectoire de la colo, puis les deux moments où on s'est croisés sur la plage et la magie de la boum où mon cœur a cru exploser de bonheur. Je lui ai envoyé mon cadeau en début de semaine et j'avais fini par l'oublier... ou presque.

— Merci, c'est gentil! On vient de rentrer de l'expo presse. On a eu un succès fou et les strips qu'on a mis en place Ulysse et moi ont beaucoup plu!

— C'est qui ce Ulysse? demande soudain Alex d'une voix tendue.

— Je t'en ai déjà parlé. C'est un super copain. Il dessine comme un dieu.

Le silence qui suit ma réponse est impressionnant.

— Ah... commente enfin Alex. Et... il est beau comme un dieu aussi?

Je ris avant d'expliquer à Alex comment j'ai connu Ulysse et quelle sorte d'ami il représente pour moi.

Il pousse un léger soupir après mon explication et déclare :

– Ok. C'est un pote parmi les autres alors. Sinon, c'est aussi ton anniversaire dans quelques jours, non? J'ai un cadeau pour toi mais tu ne le recevras pas avant ce week-end.

– Chouette! J'adore les cadeaux! je lâche enthousiaste. C'est quoi? Tu peux l'envoyer par la Poste?

– Tu verras! Un cadeau, c'est un cadeau. J'espère que ça te fera autant plaisir que moi. J'ai adoré ton strip!

Je fonds de bonheur.

C'est évidemment pile le moment que choisit Luna pour entrer dans ma chambre.

– Laure! crie-t-elle. Pas vrai que je peux dessiner deux cornes à ma licorne si je veux? Lisa dit qu'il en faut juste une.

– Non, rétorque Lisa qui la suit de près, je lui ai expliqué qu'en général on représentait les licornes avec une seule corne. Mais comme ces animaux n'existent pas, on peut…

– Laure, c'est toi qui as pris mon pull jaune ? lance Lou en entrant elle aussi dans ma chambre. Je t'ai déjà dit que je t'interdis de fouiller dans mes affaires !

Des fois, j'aimerais VRAIMENT être fille unique !

En colère, je regarde mes sœurs qui réalisent alors que je suis en pleine conversation. Elles reculent l'une après l'autre.

Lisa dessine un cœur en l'air avec ses pouces et ses index, Lou me fait signe d'enlever mon blouson parce que je vais étouffer et Luna chuchote :

– C'est ton chéri au téléphone ? C'est celui de la colo ?

J'entends Alex rire à l'autre bout du fil.

Il m'envoie des tonnes de bisous lui aussi avant de raccrocher.

En le quittant, je réalise que je ne sais toujours pas quel sera mon cadeau...

Épilogue

Hier soir, on a invité Ulysse à dîner à la maison. Papa était super content parce qu'il y avait aussi Doudou Love.

C'est le nouveau surnom que ma sœur a donné à Max, son chéri.

Ri-di-cu-le, comme dit Lisa.

En tout cas, avec Doudou Love ET Ulysse, mon père se sentait moins seul au masculin. Il a passé la moitié du repas à parler foot.

Comme c'était la veille de mon anniversaire, Ulysse m'a apporté un cadeau.

Il m'a offert l'original de l'affiche de l'expo. J'ai eu les larmes aux yeux quand je l'ai découverte.

— Pleure pas, Laure, a bougonné mon ami, un peu gêné. Je n'aime pas faire de la peine aux filles, moi.

Les Steph au carré se sont extasiés devant l'affiche.

— Je vais l'accrocher dans ma chambre ! j'ai déclaré, enthousiaste.

— Et moi ? Tu pourrais me faire un cadeau qui serait le dessin géant de princesse Alexandra ? a demandé Luna.

— Dis donc, ce n'est pas encore ton anniversaire ! a protesté Lisa. Par contre, moi, c'est bientôt et j'adore les dessins de l'espace.

— Laissez-le respirer, ce pauvre Ulysse, a lâché Lou. Euh, par contre, j'ai un projet super dur à rendre en arts plastiques... Si tu veux jeter un œil ?

J'ai tiré Ulysse par la main pour qu'on aille discuter tranquillement dans ma chambre. Tout naturellement, on s'est assis au bureau et on s'est mis à dessiner. On n'a pas spécialement besoin de parler, on est bien comme ça, avec nos crayons à la main. Quand son oncle est venu le chercher, mes parents lui ont expliqué que son neveu serait toujours le bienvenu à la maison.

Ulysse est reparti avec les larmes aux yeux.

C'était une vraie soirée émotion.

Ce matin, c'est moins fun… Je dois garder Lisa et Luna. Papa a ouvert son cabinet et maman assiste à une réunion à l'auto-école pour la conduite de Lou.

Mes sœurs ont laissé de côté *Les nouvelles des deux L* et c'est tant mieux. Elles en étaient à la page 73 et elles n'en pouvaient plus…

Elles sont passées à la vidéo. Depuis que maman leur a prêté un vieux portable sans connexion au réseau, elles tournent des films. J'ai une paix royale pour l'instant. Je les entends rire dans la chambre de Luna, donc tout va bien.

Mon portable n'arrête pas de sonner depuis que je me suis levée. J'ai déjà dix messages de « Bon anniversaire » ! Mes grands-parents, mes tantes, mes copines ET mes copains, tout le monde pense à moi ! Même Kim ne m'a pas oubliée, pourtant notre amitié est récente.

Mon portable clignote à nouveau. J'ai sept messages d'un coup.

Bon anniversaire à ma copine chérie qui sera à jamais ds mon cœur.

Je cpte m'entraîner à jouer aux échecs ce we. Je ne sors pas. J'ai un tuto de la MQT. Lundi matin, je serai une killer à ce jeu.

Ne m'appelle pas.

À part si Morgan est chez toi.

Dans ce cas appelle moi même à 4 heures du mat.

Encore un joyeux anniversaire ma Lolo !

Avec Justine, on passe des larmes au rire, mais on ne s'ennuie jamais.

Le septième message est d'Alex. Je l'ouvre en souriant d'avance.

Joyeux anniversaire my love.

Son SMS est bref mais « my love », c'est l'essentiel…

Un deuxième message d'Alex suit.

J'oubliais. Ton cadeau est derrière ta porte.

Je me lève machinalement pour voir si mes sœurs n'ont pas déposé un colis au seuil de ma chambre.

– Lisa, Luna, je crie, le facteur est passé ?

– Non ! répond Lisa dont la tête apparaît. Pourquoi, on a sonné ?

Je fronce les sourcils en relisant le troisième SMS d'Alex.

Tu devrais me croire.

Cette fois-ci, je sursaute. Je tape ma réponse à toute vitesse.

Mais attends. Tu parles de quelle porte ?

Le message d'Alex ne se fait pas attendre.

Celle qui se trouve au 3ᵉ étage, 8 rue Troucade, 75004 Paris.

J'avance vers la porte d'entrée. Le facteur a dû sonner et on ne l'a pas entendu…

C'est en l'ouvrant que mon cœur s'arrête.

Vraiment.

– Joyeux anniversaire, Laure.

Alex, mon apparition à moi.

Alex qui vit à plus de six-cents kilomètres de Paris, est là, derrière ma porte.

– T'es qui, toi? demande Luna derrière mon dos.

– Tu ne le reconnais pas? C'est celui de la colo, le chéri de Laure.

Ça, c'est la voix de Lisa qui chuchote un peu.

Je ne peux plus bouger. Je crois que j'ai perdu la parole.

– Je peux entrer? demande Alex d'une voix inquiète. Mes parents m'ont déposé en bas de ton immeuble et ils reviennent me chercher en fin d'aprèm. On est ici pour le week-end. J'adore le copain de mon père surtout quand il se marie à Paris le jour de ton anniv.

Je tends la main à Alex qui la saisit avec douceur. L'espace d'un instant, il me serre contre lui et tout mon immeuble disparaît.

C'est comme si le toit s'ouvrait d'un coup et que j'étais aspirée vers le firmament.

Je viens juste d'atteindre les étoiles.

Je ne suis pas sûre de pouvoir redescendre…

TABLE DES MATIÈRES

☁ L'AUTEURE

Sophie Rigal-Goulard est la cadette d'une famille de trois filles. Ses souvenirs d'enfance lui sont très utiles pour faire vivre des aventures aux quatre L! Elle puise aussi dans les histoires que lui racontent les enfants de son entourage.

Des plus jeunes aux ados, elle adore leur compagnie et elle passe beaucoup de temps à discuter avec eux. Elle les trouve drôles, pertinents et souvent pleins de sagesse!

C'est pour cette raison qu'elle aime participer à des rencontres ou des salons du livre : elle y croise ses lecteurs et elle est ravie!

Vous pouvez aussi la retrouver sur son site www.sophie-rigal-goulard.fr

☁ L'ILLUSTRATRICE

Diglee est une jeune illustratrice au sang anglais de 28 ans, fan de littérature, de cosmos, d'art et de tout ce qui touche aux Années folles. Née à Lyon, elle a passé son bac littéraire en 2005 et est sortie diplômée de l'école Émile-Cohl en 2009. Elle tient depuis 2007 un blog BD sur lequel elle dessine ses péripéties du quotidien ou ses réflexions féministes, qu'elle a adapté en deux bandes dessinées chez Marabout : *Autobiographie d'une fille gaga* et *Confessions d'une Glitter Addict*. Elle travaille aujourd'hui de chez elle pour la presse, l'édition et la publicité.

Vous pouvez la retrouver sur les salons (elle adore faire des dédicaces !) et sur son blog : diglee.com

Retrouvez la collection

sur le site www.rageot.fr

RAGEOT s'engage pour
l'environnement en réduisant
l'empreinte carbone de ses livres
Celle de cet exemplaire est de :
550 g éq . CO_2
Rendez-vous sur
PAPIER À BASE DE   www.rageot-durable.fr
FIBRES CERTIFIÉES

Achevé d'imprimer en France
en décembre 2016
sur les presses de Jouve, Mayenne
Couverture imprimée par Boutaux, Le Theil-sur-Huisne
Dépôt légal : février 2017
N° d'édition : 5458 - 01
N° d'impression : 2483944M